Laat maar

Daphne Deckers

Laat maar waaien

Uitgeverij Carrera, Amsterdam 2010

De columns in *Laat maar waaien* verschenen eerder in
De Telegraaf VROUW en Reader's Digest.

ISBN 978 90 488 0644 7

NUR 401

www.uitgeverijcarrera.nl
www.daphnedeckers.nl

Carrera is een imprint van Dutch Media Uitgevers bv.

Mixed Sources
Productgroep uit goed beheerde
bossen, gecontroleerde bronnen
en gerecycled materiaal.
www.fsc.org Cert no. SGS-COC-003081
© 1996 Forest Stewardship Council
FSC

carrera
Dit boek is ook leverbaar als e-book:
ISBN 978 90 488 0645 4

Inhoudsopgave

Daphne pakt in

Het inpakken van mijn zomerkoffer is ieder jaar een avondvullend programma. Er is ook zoveel om aan te denken. Zoals de meeste vrouwen ga ik bij het inpakken grondig te werk: ik bedenk alle mogelijke scenario's met de daarbij behorende kleding, de bijpassende schoenen en het benodigde gereedschap. Richard vindt deze inpakmarathon totaal overbodig. Hij denkt namelijk dat hij de naturel beachlook het mooist vindt, maar zoals de meeste mannen heeft hij geen idee hoeveel kunstgrepen je moet toepassen om er naturel uit te zien. Daar komt nog bij dat mannen en vrouwen een iets andere definitie hebben van de term 'overbodig'. Zo neemt een goede vriend van ons steevast een spuit met kit mee op vakantie. Volgens hem is er altijd wel ergens iets te kitten: een kiertje waar de mieren doorheen komen of een richeltje waar het douchewater lekt. Goed idee – doen we niet. Want op de plek van zo'n kitspuit kunnen ook 'n paar rieten platformsandaaltjes. En je moet nu eenmaal prioriteiten stellen.

Het eerste Nederlandse Kampioenschap Koffer Inpakken is gewonnen door een vrouw. Uiteraard, zou ik willen zeggen. (De mannen hoeven hierover niet beteuterd te zijn, want zij winnen ieder jaar het Wereldkampioenschap Extreem Strijken, waarbij al strijkend een hindernisparcours moet worden afgelegd. Nee, thuis strijken doen de meeste deelnemers niet: te simpel.) Maar wat gaat er dan zoal voor essentieels in mijn koffer?

Om te beginnen een stapel t-shirtjes. Met bijpassende broekjes, dat spreekt voor zich. En bij dat broekje horen die slippertjes – dus die moeten ook mee. Bij dat ene jurkje horen die andere hakjes, en bij dat lange tuniekje draag ik graag die nieuwe sandaaltjes. Maar de oude neem ik ook mee. Anders zou het zonde zijn. En stel dat we weer onverwachts voor zo'n chic feestje worden uitgenodigd... Daarom neem ik ook maar een avondjurkje mee. Weet je wat, ik doe er twee, dan heb ik wat te kiezen. Voor de basic natuurlijk een afge-knipte jeans. Da's handig voor in de pretparken.

En toch maar een lange broek, want het zou 's avonds kunnen af-koelen. Niet dat het ooit is gebeurd, maar het zou kunnen. En dan kun je het maar beter bij je hebben. Of er zijn muggen. Dus ook de muggenrollers gaan mee. En natuurlijk alle crèmes, lotions en spoelingen, plus de föhn, de French manicure, de waxstrips, de make-uptas (de tijd van het make-uptasje ligt helaas achter me) én een steiltang waarmee je ook kunt krullen – de uitvinding van het jaar. Dan de bikini's. Eén stevige, voor in het waterpark. Bij de hoogste glijbaan word je niet alleen getrakteerd op een gratis klisma, maar de cups hangen ook nog eens onder je oksels. Gelukkig kan er voor het strand een iets frivolere bikini mee. En een kittige omslagdoek, want veel toeristen zijn tegenwoordig amateurpaparazzi met came-ra's op hun gsm. BILLEN VAN DECKERS NIET VEEL LEKKERS – ik zit er niet op te wachten. Terwijl ik driftig sta na te denken over de laatste cruciale toevoegingen (thermoskan? naaimandje? pleisterdoos?), is Richard ook naar boven gekomen om zijn tas in te pakken. Zwembroek? Check. Shirtjes – even ruiken... Ja, kunnen nog. Daf, ik ben klaar hoor!

Spannende vrouw

Volgende week word ik veertig. Dat schijnt een heel 'ding' te zijn, maar eerlijk gezegd zie ik die beladen verjaardag helemaal niet zo zwaar in. Anderen wel. Er gaat geen interview voorbij of er wordt mij op serieuze toon gevraagd naar mijn gevoelens omtrent Het Naderende Keerpunt. Het lijkt wel of ik niet lekker in mijn vel mág zitten. Ik weet heus wel dat de jaren langzaam maar zeker gaan tellen. Alles zakt immers omlaag – behalve je tandvlees, dat trekt omhoog. Laatst zat ik aan het einde van een lange draaidag in de auto, en toen moest ik echt even mijn broek en rits een stukje opendoen. Zo'n skinny jeans is best kittig, maar 's avonds bol ik een beetje op. Had ik vroeger nooit last van. Toch kan ik me niet voorstellen dat ik één dag na mijn veertigste verjaardag spontaan met een kalkoennek wakker zal worden. Ik ben ook liever een energieke veertiger dan zo'n uitgebluste twintiger.

Alles duurt ze te lang: het mobieltje is na drie maanden al gedateerd, een relatie na zes maanden ingedut en als je langer dan een jaar voor dezelfde baas werkt, kun je alleen maar een loser zijn. Onze maatschappij is helemaal op 'nieuw' gefixeerd. Iedere maand komt er iets uit met nog meer pixels, nog meer *gieg*, nog meer geheugen. Dat moet je dan hebben. Maar waarom eigenlijk? Ik geloof niet in het blind inruilen van dingen alleen maar omdat er een nieuwere versie van is. Ik heb nog zo'n oude Nokia, de beste gsm die er ooit is gemaakt. 'De baksteen' wordt-ie genoemd. Je kunt er niks mee, alleen bellen en sms'en. Werkt prima. Maar helaas is het vernieuwingsvirus ook op mensen overgeslagen. Ga boven de vijfenveertig maar eens solliciteren, dan krijg je overal te horen dat ze jong personeel zoeken. Ook je veertigste verjaardag schijnt een moeilijk moment te zijn, terwijl veel vrouwen juist beter in hun vel zitten dan ooit.

Weet je wat pas echt tragisch is? Geen veertig worden, zoals Percy Irausquin. Hij was negenendertig, even oud als ik. En hoe werd hij op Teletekst omschreven bij zijn overlijden? Als 'de jonge modeontwerper'. Het is toch treurig dat je eerst moet doodgaan voordat men beseft dat negenendertig eigenlijk nog heel jong is. Daarom vond ik het ook zo leuk dat de Amerikaanse *Esquire* de tweeënveertigjarige Halle Berry heeft uitgeroepen tot de meest sexy vrouw ter wereld. Halle is voor mij het prototype van een spannende vrouw. 'Je sexy voelen is niet uitdagende kleding dragen of met je kont schudden tot je heup uit de kom schiet,' zei ze in *Esquire*. 'Sexy zijn zit ín je, en het begint met houden van jezelf.' Helemaal waar, dacht ik. Dus toen ik laatst uit de auto stapte om te gaan tanken en er een man naar me floot, dacht ik: kijk, da's leuk. Ik kan net als Halle best nog een spannende vrouw zijn. Even later toeterde er een auto. En in de tankshop keek een groepje chauffeurs wel heel lang mijn kant op. Wat nou bijna veertig? Opgewekt stapte ik weer in mijn auto. Waar ik zag dat mijn broek en rits al die tijd hadden opengestaan.

Schuren

Zeventig procent van de mannen vindt dat hij het recht heeft om op de dansvloer tegen vrouwen op te rijden. Dat schreef de *Groningse Universiteitskrant* vorige maand, na een peiling onder honderd Groningse studenten. Vrouwelijke studentes hadden al vaker geklaagd over het opdringerige gedrag van mannelijke studenten in de Groningse uitgaansscène, waarna de krant besloot om een onderzoek te doen. Het zal niemand verbazen dat 90% van de vrouwen totaal niet gecharmeerd was van dit *dryhumpen* (droogneuken, in algemeen beschaafd Nederlands). Maar waarom blijven al die mannen het dan toch doen? Daarvoor kwam een evolutionair psychologe aan het woord, Karlijn Massar. Die vertelde dat het ongevraagd schuren tegen andermans billen 'evolutionair gezien' heel makkelijk te verklaren was: 'Mannen zijn vooral bezig hun genen te verspreiden. Daarbij gaan ze ervan uit dat vrouwen net zo veel zin hebben in seks als zij.' Ach, het befaamde genen-verspreiden-excuus. Helaas blijft de andere kant van dat verhaal altijd onderbelicht.

Ja, de mannen waren in de oertijd al druk aan het swaffelen. Maar de vrouwen moesten zich 'evolutionair gezien' net zo goed door zo veel mogelijk verschillende mannen laten bevruchten, om zo de kans op een sterk nageslacht te vergroten. Dus, heren: de Groningse studentes hebben inderdaad veel zin in seks – alleen niet in seks met jullie. Zo simpel is het namelijk. Een vrouw kan zelf wel bepalen of ze jouw 'gehaktstaaf tussen haar twee broodjes' wil, zoals ik droogneuken op een chatsite omschreven zag. Daar las ik trouwens ook een interessante vraag van iemand: of schuren eigenlijk vreemdgaan was. De schrijver kreeg er namelijk een stijve van als hij op de dansvloer tegen het kontje van een willekeurig meisje aan stond te rijden. Ik vond de reacties tamelijk veelzeggend: schuren, daar moest je lekker van genieten, vooral als je vriendin niet keek. Én een stevige spijkerbroek aantrekken, zodat je erectie niet zo opviel. Maar wat als een onbekende gast zomaar tegen jouw vriendin op ging rijden? Nee, dát kon echt niet, dan vielen er klappen.

Aha. Dus de heren weten zelf ook wel dat dryhumping geen onschuldig vermaak is. In rapvideo's ziet het er ook altijd zo feestelijk uit: zo'n deinende massa bikinibabes die het geweldig vinden dat 50 Cent met zijn onderlijf tegen hun billen aan wrijft. De meeste vrouwen vinden *bubbling* ook opwindend en spannend en leuk – maar alleen met een vent die ze zelf uitzoeken, net als bij het schuifelen vroeger. Helaas nemen de heren niet meer de moeite om zich even aan je voor te stellen. In plaats van een warme hand ('Hoe heet jij?') krijg je nu een warme gehaktstaaf ('Hoe heet ben jij?'). Karlijn Massar noemde deze houding vreemd genoeg 'geëmancipeerd,' omdat de mannen de vrouwen hiermee 'als hun gelijken' zagen. Sorry, maar dat is niet emanciperen, dat is koeioneren. Stel je voor dat een vrouw die jij helemaal niet kent bij jou thuis de spullen komt verschuiven: de bank naar hier, de tafel naar daar. Daar zou je al van balen. Moet je nagaan hoe leuk een vrouw het vindt dat jij op de dansvloer haar zitmeubel gaat bepotelen. Heus – als ik wil dat er iemand ongevraagd tegen me op gaat rijden, koop ik wel een hond.

Wabi sabi

Op een dag werd ik wakker en daar waren ze: de rimpels. Het verouderingsproces verloopt lange tijd relatief onopgemerkt, als een soort katapult die langzaam naar achteren wordt getrokken. Je denkt dat er weinig gebeurt. Maar ondertussen trekt het elastiek steeds strakker (en je broek trouwens ook), waarna het met een knal wordt losgelaten. Wat er dan overblijft, zag ik op een ochtend in de spiegel. Slaapvouwen die eerst nog uit mijn gezicht trokken, blijven nu steeds langer zitten. 'Totdat ze op een gegeven moment helemaal niet meer weggaan,' zei mijn moeder monter. Ze probeert me al een tijdje te enthousiasmeren voor *wabi sabi*, een begrip uit de traditionele Japanse cultuur dat haaks staat op het westerse schoonheidsideaal. In plaats van alles krampachtig op het hoogtepunt te willen vasthouden, pleit wabi sabi voor de waardering van ouderdom, verwering en slijtage. Volgens de Japanners schuilt er namelijk evenveel schoonheid in de lente als in de herfst, in zon en regen, bloei en verwelking. Heel poëtisch allemaal. Maar als mijn kinderen tegen mij zeggen: 'Jeetje mama, je krijgt steeds meer scheuren in je gezicht,' nou – dan is de wabi sabi ver te zoeken hier in huis.

Ik twijfel nog steeds of ik mijn rimpels nu wel of niet begripvol moet omarmen. Ik weet dat het heel stoer is en aards en naturel om jezelf vooral te accepteren zoals je bent, maar die craquelé onder mijn ogen wil maar niet passen bij het beeld dat ik van mezelf heb. Het gevoel dat ik vanbinnen heb, is namelijk blijven steken rond de vijfentwintig jaar; al weerspiegelt iedere winkelruit inmiddels ongenadig dat ik wel degelijk veertig ben. De foto bij deze column is dan ook een ietsiepietsie opgeleukt door de computer. Over dat retoucheren is tegenwoordig behoorlijk wat ophef, maar het is bepaald geen nieuw verschijnsel. Ik heb de eer gehad om te werken met wijlen Paul Huf, een van de beste Nederlandse fotografen ooit.

Hij vertelde me dat hij zijn zwart-witportretten in de jaren vijftig al bijwerkte met waterverf; dat deden alle grote portretfotografen. Klassieke schilderijen en beeldhouwwerken waren ook altijd een charmantere versie van de dame of heer in kwestie. 'De neus wat kleiner en de juwelen wat groter,' zongen ze onlangs nog in de musical over het leven van Rembrandt. Zelfs de goddelijke Marilyn Monroe had al plastische chirurgie ondergaan; zij kreeg een neuscorrectie en een kinimplantaat. Mensen hebben nu eenmaal behoefte aan verfraaiing, van Cleopatra tot nu.

Het huidige schoonheidsideaal is dan ook verre van nieuw. De fenomenale Angkor Wat-tempel in Cambodja werd gebouwd tussen 1113 en 1145 na Christus. Op veel wanden zijn beelden van de zogeheten Apsara's te bewonderen. Deze goddelijke nimfen stellen Pamela Anderson in de schaduw met hun smalle heupen en wespentailles, hoge, ronde borsten en platte buikjes. Allemaal attributen waarvan wij nu zeggen: dat is een nieuwerwets, onnatuurlijk en bovenal onhaalbaar vrouwbeeld. Maar blijkbaar vonden ze dat meer dan 850 jaar geleden ook al mooi. Toen was zo'n figuur echter alleen weggelegd voor de goddelijke nimfen. Nu bel je gewoon dokter Schoemacher. Nou ja – zo 'gewoon' vind ik dat niet. Want begrijp me niet verkeerd: ik vind niet dat iedereen zich zomaar zou moeten laten opvullen, platspuiten en leegzuigen, puur omdat dit tegenwoordig kán. Maar wabi sabi vind ik weer het andere uiterste; dat is een zalige gemoedstoestand waar je langzaam naartoe moet groeien. Je eerste grijze haren en je eerste blijvende rimpels (of, ahem, scheuren) zijn tenslotte kleine aardschokken die je met de neus op de feiten drukken: je wordt ouder. En iedereen wil oud worden, maar niemand wil oud zijn. Dus wat te doen? Ik denk dat ik toch maar vrede ga sluiten met mijn kraaienpootjes. Al zal ik nog geregeld de digitale retouche ter hand nemen bij mijn foto's, net zoals ik nog steeds een rondje extra met de poetsdoek door het huis loop voordat mijn moeder langskomt. Soms wil je gewoon dat de dingen iets fleuriger lijken dan ze in werkelijkheid zijn. Als je kunt lachen om je eigen imperfecties wordt het leven alleen maar beter. Want je weet wat ze zeggen: lach en je krijgt vrienden, frons en je krijgt rimpels.

Omdat ik het zeg!

De burgemeester van Megion, een stad in het westen van Siberië, heeft onlangs een lijst opgesteld van zeventwintig smoezen die niet meer door ambtenaren mogen worden gebruikt. Zij die dat toch doen, worden ontslagen. Op de lijst staan klassiekers als: We zitten net te eten, Daar is geen geld voor, Mijn werkdag zit erop, Die documenten heeft iemand anders en Volgens mij was ik toen ziek. Daar moest ik zó om lachen. Blijkbaar is overheidspersoneel overal hetzelfde, want de ambtelijke dooddoeners uit Siberië wijken niet veel af van die uit, zeg, Sittard. Sommige uitdrukkingen zijn zó nietszeggend geworden, dat er zelfs een burgemeester aan te pas moest komen om ze te verbieden. Dat zou ook bij het opvoeden van kinderen geen slecht idee zijn. Als moeder beschik ik namelijk eveneens over zo'n arsenaal aan clichés, waarvan ik de meeste van mijn eigen moeder heb geërfd. In mijn jeugd werkten ze al niet, dus het is mij een raadsel waarom ik (en vele moeders met mij) ze blijven gebruiken. Een paar voorbeelden?

Denk maar aan de arme kindjes in Afrika. Het is hier geen hotel. Kijken doe je met je ogen. Wacht maar tot je vader thuiskomt. Hoe weet je nou dat je het niet lekker vindt als je het niet probeert? Niet met je natte haren naar buiten, anders word je ziek. Samen spelen, samen delen. Als de klok slaat, blijven je ogen zo staan. Lijk ik soms op een serveerster? Ik zei: *doe* de deur dicht, niet *gooi* de deur dicht. Stop dat niet in je mond, je weet niet waar het heeft gelegen. Ik doe dit niet om je te pesten, maar om je te helpen. Zo zou ik nooit tegen mijn moeder hebben durven praten. De kaboutertjes hebben dit zeker gedaan? Kindjes die vragen, worden overgeslagen. Je moest eens weten wat ik allemaal zou willen. Toen ik jong was, had je dat allemaal nog niet. Als Kevin van de brug springt, spring jij er dan achteraan? Van een beetje water ga je heus niet dood. Je krijgt vierkante ogen van al dat tv-kijken. Je bent precies je vader. Zit niet aan dat korstje te peuteren, anders krijg je een litteken. Honger? Opa en oma hadden honger; jij hebt trek. Doe een lampje aan, anders verpest je je ogen. Je moet van voor naar achteren vegen, niet andersom. Welk gedeelte van het woord 'nee' snap je niet? Ik heb maar twee handen. En natuurlijk de klassieker: als grote mensen praten, houden kinderen hun mond.

Het zal niemand verwonderen dat deze kreten opvoedkundig gezien totaal geen zoden aan de dijk zetten. Mijn kinderen halen hun schouders erover op – dat deed ik vroeger tenslotte ook al. Kinderen zijn kritische consumenten: ze willen heus wel iets van je aannemen, maar dan moet je het wel overtuigend brengen. Maar soms sta je als moeder gewoon even zonder tekst, terwijl er op dat moment wél iets zinnigs uit jouw mond wordt verwacht. Neem nu de ochtendspits, die iedere ochtend rond 8.00 uur volgens hetzelfde stramien verloopt. Emma vraagt of haar gymkleren al uit de was zijn en waarom haar favoriete roze maillot niet in haar kast ligt, terwijl Alec wil weten of er nog hamstervoer is en of hij vandaag eindelijk weer eens pindakaas meekrijgt, waarop Emma vraagt of Teddie straks mag komen spelen, waarna Alec vraagt waar zijn pakje Pokemon-kaarten is gebleven en Emma wil weten wie haar naar tennistraining rijdt en Alec eist dat hij nu antwoord krijgt op zijn vraag. Welke vraag – die van dat hamstervoer, de pindakaas of de Pokemon-kaarten?

Op zulke momenten merk ik dat ik vaak teruggrijp naar de universele 'moedertaal'; de onbeperkte verzameling pedagogische pareltjes die elke discussie meteen stilleggen: 'Mama, waarom moet ik een sjaal om naar school?' 'Omdat ik het zeg.' Geen speld tussen te krijgen. Maar heeft je kind er ook wat aan? Nee, natuurlijk niet. Al leren ze misschien wel dat hun moeder ook maar een mens is, en geen 24 uurshelpdesk. Eén ding heb ik inmiddels wel begrepen: welke dooddoener je ook bedenkt, je kind weet altijd een betere. Toen Emma en Alec laatst achter in mijn auto zaten te klieren, zei ik met gepaste autoriteit: 'Emma, laat Alec met rust! Moet ik me soms omdraaien?' Waarop Emma verontwaardigd antwoordde: 'Maar ik deed helemaal niks. Ik sloeg hem alleen maar!'

Hondenmand

Toen ik laatst weer eens bij mijn broer Clark langsging, zag ik daar tot mijn verrassing een bekend patroon in de hondenmand. Het was een kussensloop van een dekbedovertrek dat ik vijftien jaar geleden had gekocht. Hoe was dat in hemelsnaam in de mand van Zoembi terechtgekomen? Ik had werkelijk geen idee. Zulke dingen gebeuren nu eenmaal in de onnavolgbare maalstroom van het familiedoorgeefsysteem. Maar ik wist wél nog precies wanneer ik dat dekbedovertrek had aangeschaft. Ik was in die tijd namelijk erg verliefd op Mark, en had goede hoop dat hij misschien die avond voor het eerst bij mij zou blijven slapen. Vlak voor winkelsluitingstijd bedacht ik dat een mooi, nieuw dekbedovertrek helemaal geen slecht idee zou zijn, dus ik was snel nog even op de fiets gesprongen. Dat mannen zich totaal niet voor zulke dingen interesseren, drong destijds niet tot me door. Als je wat jonger bent, ben je nog in de naïeve veronderstelling dat je zo'n eerste nacht moet opfleuren met een kakelvers dekbed. Alsof een man die wild zoenend de slaapkamer van zijn nieuwe vriendinnetje binnenvalt, de tijd neemt om de kleur van de gordijnen te registreren. Het bloed is dan allang uit zijn hoofd gezakt en pompt alleen nog in enkele essentiële lichaamsdelen rond. En nee, het decoratiecentrum is er daar niet één van. Gelukkig maar, want als een man op zo'n moment tegen je zou zeggen: 'Gut pop, wat heeft je vloerkleed een enig patroontje,' dan stuurde je hem toch meteen, eh, gillend naar huis?

Maar goed, na koortsachtig overleg met mezelf (Bloemetjes? Te braaf. Satijn? Te stout.) koos ik voor een nachtblauw overtrek met een bordeauxrood bandmotief. Het was behoorlijk prijzig, maar dat zag ik niet eens want het zweet stond inmiddels op mijn bovenlip. Ik moest nog als een razende naar huis, verpakking eraf, dekbed erop, en daarna heel relaxed de deur openzwaaien, alsof ik niet tot vijf minuten van tevoren bezig was geweest met het restylen van mijn slaapkamer. Mark bleef die avond inderdaad slapen – en hij zei helemaal niks over mijn nieuwe overtrek, waar de winkelvouwen nota bene nog in zaten. Je wilt als vrouw ook niet te expliciet laten merken dat je iets nieuws hebt opgelegd, want daarmee kun je de indruk wekken dat je wel erg duidelijk op een bedpartner had gerekend. Of nog erger: dat je vorige setje lakens dringend aan verversing toe was. Tot zover was alles dus goed gegaan. Maar wat denk je? Toen Mark en ik 's ochtends wakker werden, hadden we allebei een blauw gezicht. Als ik de avond van tevoren niet zo druk was geweest met mijn onkuise gedachten en gewoon eens rustig de verpakking had bekeken, had ik vast de begeleidende tekst gezien: 'Vóór eerste gebruik koud wassen in verband met mogelijke kleurafgave.' Gelukkig kon Mark er wel om lachen dat we als twee smurfen aan het ontbijt zaten, maar wat een afgang voor zo'n eerste ochtend met een nieuwe liefde. Vooral omdat de blauwe textielverf tamelijk hardnekkig bleek te zijn en we allebei twee dagen voor gek hebben gelopen.

Niet dat ik er veel van heb geleerd. Want enige jaren later, toen Mark inmiddels weer exit was en Richard tamelijk onverwacht voor het eerst bleef slapen, had ik mijn opgestapelde vieze vaat snel in het keukenkastje onder de gootsteen gedumpt. Ik wist dat Richard erg netjes was, en ik wilde graag een nette indruk maken. Ik had nog geen afwasmachine en met de hand kreeg ik het niet op tijd af, dus hopla – daar ging het hele spul de kast in. Wist ik veel dat Richard iedere ochtend om halfzes opstond om te gaan sporten. En toen liet de arme schat ook nog wat vallen, wilde het snel opdweilen, zocht een emmertje... en kwam onder de aanrecht mijn aangekoekte afwas tegen. Richard en ik zijn inmiddels alweer meer dan een decennium getrouwd, dus ondanks dit beschamende begin is het toch nog goed gekomen. Aan al deze dingen moest ik denken toen ik bij mijn broer die kussensloop als een oud vod in de hondenmand zag liggen. Aan de ene kant werd ik een beetje weemoedig van de 'vergankelijkheid der dingen,' maar aan de andere kant moest ik erom lachen: dit is dus hoe het leven gaat. Zelfs de meest gênante momenten, pijnlijke herinneringen en vernederende gebeurtenissen eindigen uiteindelijk ergens in een hondenmand: verkleurd, verscheurd en vergeten.

Vintage

Mijn moeder deed zelden haar kleding weg. Ze zei altijd: 'Als je maar lang genoeg wacht, komt het vanzelf weer in de mode.' Als tiener vond ik dat een belachelijk statement, want ik kon me niet voorstellen dat mijn moeders kleren ooit in de mode waren geweest, laat staan dat ze nóg een keer hip zouden worden. Maar inmiddels weet ik dat ze gelijk had. Uiteindelijk komt alles terug – ook de dingen die je twee decennia geleden ritueel hebt verbrand omdat ze écht niet meer konden. Palestijnensjaal? De laatste keer dat ik die zag, was op de middelbare school. Toen vond ik het vaatdoeken, maar nu heb ik ze in allerlei variaties. Beenwarmers? Ook weer in huis. Leuk voor boven mijn enkellaarsjes. 'Helemaal *Flashdance*,' zei ik tegen het meisje dat weleens bij mij komt oppassen. 'Wie?' Haar verveelde whatever-gezichtsuitdrukking had ik al eens eerder gezien. Bij mezelf, als mijn ouders doorzaagden over de Eagles en *Hotel California*. Rock en rollator, dacht ik destijds – precies wat de scholieren van nu denken als je ze vertelt dat George Michael in Wham! ook al van die leuke franjejassen droeg.

Over franjes gesproken: ik heb nog modellenfoto's van voor de Eerste Wereldoorlog waarop ik poseer met indianenlaarzen. Ook die zijn tegenwoordig weer helemaal hip, al zitten ze nog steeds even slecht. Ze vouwen dubbel bij de hielen, lopen snel uit; allemaal net als in negentien-toen. Toch heb ik ze weer gekocht, want ze staan zo leuk. Net als die Oekraïense boerenbont-mode, waar alle winkels mee volhangen. Met zo'n gilet van schapenwol en een folkloristische bloes kun je zo in het Kozakkenkoor. Is allemaal al eens gedaan in de seventies. Als mijn moeder díé kleren nou had bewaard! En dus sla ik nu alvast mijn mooiste spullen op voor Emma. Wikkeljurkjes van Diane von Fürstenberg, ruiten rokjes van Alexander McQueen, franjelaarzen van Gucci, mijn Dior Gaucho-handtas – het gaat allemaal naar de zolder. Nu is Emma nog helemaal enthousiast over dit idee, maar voor hetzelfde geld verandert ze straks op de middelbare school in zo'n gezellige goth. Met van die fluwelen vleermuismouwen, legerkistjes en zwarte lippenstift.

Nou ja, dat moet ik dan maar even met samengeknepen billen uitzitten. Want ook dat blijkt gewoon een voorbijgaande fase te zijn; kijk maar naar Elizabeth Hurley. Die was in haar jonge jaren ook punk, compleet met veiligheidsspelden door haar neus en een roze hanenkam. Nu is ze een van 's werelds meest glamoureuze vrouwen. Dat is het grote voordeel van ouder worden: je hebt het allemaal al eens zien komen. En zien gaan. En zien terugkomen. De leggings en de ballerina's. De steile pony en het Farrah Fawcett-haar. De hoge broeken en de dunne riempjes. En na al die jaren weet je steeds beter wat je wel en niet staat, wat je nog eens kunt kopen en wat je aan je voorbij moet laten gaan. Én wat je moet bewaren, want ouwe meuk wordt vanzelf vintage. Zo stond ik vorige maand tot mijn verrassing weer eens op de cover van de Veronica-gids. De laatste keer was elf jaar geleden! En opeens dacht ik: zie je nou wel. Als je maar lang genoeg wacht, kom je zélf ook weer in de mode.

Ik moet iets bekennen

Ik moet iets bekennen. Opbiechten is namelijk helemaal in. Hoe persoonlijker, hoe beter – vooral over je relatie. Stel dat ik hier bijvoorbeeld zou vertellen dat Richard en ik een sm-kelder hebben. Naast het wijnrek en de servetringen nu ook een pijnrek en wat penisringen. Zou niemand van opkijken. Alles kan tegenwoordig gezegd worden. Eva Longoria, die actrice uit *Desperate Housewives*, vertelde laatst in een interview dat ze graag wordt vastgebonden tijdens de seks, want het was zo lekker om onderdanig te zijn. Dat lijkt mij iets te veel informatie voor op de zaterdagochtend, maar onbeschaamde openhartigheid is tegenwoordig een groot goed. En niet alleen op het gebied van seks. Nick Leeson, de beursspeculant die in 1995 de Britse Barings Bank failliet liet gaan en een schuld van 1,4 miljard euro achterliet, heeft onlangs studenten van Nijenrode toegesproken over de 'morele corruptie' van banken. Leeson heeft zijn gevangenisstraf namelijk uitgezeten en is nu 'adviseur op het gebied van risicobeheersing'. Je moet maar durven, zou je denken, maar Nick Leeson is juist over de hele wereld een gewild spreker.

Mensen willen nu eenmaal alles horen, niks is meer te gek. Ex-inbrekers die op tv tips geven hoe je moet voorkomen dat je huis wordt leeggeroofd? Kandidaten die in *Het Moment van de Waarheid* vrijwillig vertellen dat ze een pesthekel hebben aan hun schoonouders en dat ze het graag met de buurman zouden willen doen? Het is allemaal al te zien geweest. Het past dan ook helemaal in deze tijd dat het boek *Vochtige streken* van de Duitse schrijfster Charlotte Roche zo'n bestseller is geworden. Roche laat haar vrouwelijke hoofdpersoon ongegeneerd vertellen over het pulken aan haar aambeien, de geur van gebruikte tampons en het eten van snot en oorsmeer. Gadverdarrie! Maar ja, een schrijver moet choqueren, zeggen mensen dan. En met een miljoen verkochte boeken raakt *Vochtige streken* blijkbaar een gevoelige snaar. De biechtbusiness is booming – hoe kan ik als columnist dan achterblijven?

Zo schreef Yolanthe ooit in haar column dat ze weleens 'n trio zou willen doen, als Jan dat leuk zou vinden. Tja, als we zó gaan beginnen, dan kan ik mijn privégenoegens natuurlijk niet voor mezelf houden. Er worden onthullingen van mij verwacht! Dus vandaar dat ik vandaag een bekentenis ga doen. Hij is wel op het randje. Richard en ik houden namelijk van... puzzelen. Zo, dat is eruit. Wij zitten 's avonds graag samen aan de keukentafel een grote legpuzzel te doen. Als ik dit weleens op feesten en partijen vertel, krijg ik eerst bezorgde blikken. Kijk, samen swingen in een parenclub – heel erg modern. Maar samen puzzelen? Heel erg Zonnebloem. Toch is onlangs uit een onderzoek gebleken dat puzzelen bijzonder meditatief is: het blijkt te helpen tegen stress, negatieve gedachten en piekeren (klinkt als de feestdagen!). Hoe langer ik over puzzelen praat, hoe meer mensen schoorvoetend toegeven dat ze het 'eigenlijk' ook heel gezellig en ontspannend vinden. Het werkt ook enorm aanstekelijk: iedereen wil altijd meehelpen. Dus wil je jezelf eens echt verwennen deze kerst? Vergeet de fles Petrus van 1500 euro; koop een puzzel van 1500 stukjes. En schaam je er niet voor. Want genieten van 'gewoon', dat is tegenwoordig pas echt kinky.

De zeven zonden

Richard en ik nemen onze kinderen zelden mee naar een filmpremière, omdat het toch een vreemd soort poppenkast is waar we Emma en Alec niet al te vaak aan willen blootstellen. Wij maken het in ons dagelijks leven immers regelmatig mee dat er paparazzi uit de heg springen, en dat is voor die kinderen al surrealistisch genoeg. Maar ja, we hadden buiten Het Huis Anubis gerekend. Emma en Alec zijn helemaal weg van deze jongerenserie, dus toen vorige maand de uitnodiging in de bus viel voor de bijbehorende bioscoopfilm Het pad der 7 zonden, was er geen houden meer aan. In de auto naar de première zaten de kinderen te stuiteren van de opwinding. Om ze een beetje af te leiden, vroeg ik of ze eigenlijk wel wisten wat er met die zeven zonden werd bedoeld. Nee, natuurlijk. En omdat ik het niet kan laten om educatief bezig te zijn, vertelde ik over luiheid, lust en ijdelheid, woede, hebzucht, gulzigheid en jaloezie. Had ik het maar niet gedaan. Want daar gingen we dan, voor het eerst over de rode loper met z'n vieren.

Aan beide kanten stonden lange rijen fotografen opgesteld, afgewisseld met een batterij camerateams van showbizzprogramma's. Ik weet dat Richard nog liever in zijn blote kont op een spijkerbed gaat liggen dan dat-ie zo'n babbel-de-babbelcircuitje moet doen, dus hij en Emma stoven vrij snel langs iedereen naar binnen. Maar in tegenstelling tot zijn verlegen zusje staat Alec juist heel graag tussen de schuifdeuren – en eerlijk gezegd lijkt hij daarin op zijn moeder. Alec sprong zelfs enthousiast op mijn rug (waarbij hij dusdanig aan mijn bloes trok dat mijn decolleté zich bijna ontpopte tot de achtste zonde) en deed vanaf die positie vol verve een rondje pers met mij. Toen een verslaggeefster van sbs Shownieuws aan mij vroeg wat mijn meest voorkomende zonde was, antwoordde Alec zonder aarzelen: 'Woede.' Woede? Da's lekker, live op tv! Dus ik fluisterde tegen Alec: 'Luister popje, nog zo'n antwoord en je krijgt een klap voor je kop!' Maar de verslaggeefster had natuurlijk al bloed geroken. 'O ja?' vroeg ze aan Alec. 'Is je moeder zo vaak boos dan?' Ik probeerde de schat nog onopvallend te knijpen, maar hij zat al driftig van ja te knikken. 'En je vader?' ging ze door, 'wat is zijn zonde?' 'Hebzucht,' tetterde Alec, waarna ik hem meteen een zetje richting de coulissen heb gegeven.

En dan te bedenken dat kinderen zelf de belichaming zijn van de zeven zonden. Ga maar na: hebzucht, gulzigheid, woede, jaloezie? Klinkt als een doorsnee verjaardagspartijtje. Alleen lust en wellust zijn (gelukkig) nog niet aan kinderen besteed. Dit weerhoudt ze echter niet van onbedoelde onkuisheid, zoals die keer dat ik met de kleine Emma stond te douchen en ze vroeg: 'Mama... waarom heb je eigenlijk een baard op je plassertje?' Maar inmiddels is Emma alweer bijna elf en de hormonen beginnen voorzichtig te kriebelen. Afgelopen vakantie werd ze zelfs voor het eerst verliefd. De kleine adonis is ook bijna elf, en heet Robbie. Zijn vader is Engels, zijn moeder is Russisch en hij woont in Spanje. Emma en Robbie verstaan elkaar dus niet, maar op de een of andere manier weten ze toch dat ze verkering hebben. Je ziet er verder niks van want als ze samen zijn, geven ze geen sjoege. Maar ik weet nog van vroeger hoe dat was, die lagereschoolliefdes. Allebei stug de andere kant op kijken. En na het speelkwartier maakte je het alweer uit, want je wilde niks 'voor vast'.

Toch vond ik het aandoenlijk om te zien hoe Emma en Robbie elkaar blijkbaar zonder woorden leuk vinden. Zo'n taalbarrière is prima voor de romantiek: als je elkaar niet verstaat, kun je ieder gewenst etiket op je partner plakken. Emma zal Robbies 'zonden' niet snel ontdekken, want daarvoor is eerst een gesprek nodig. Maar ook dat ziet Emma rooskleurig in: 'O mama,' verzuchtte ze laatst, 'hoe leuk zal Robbie wel niet zijn als hij iets zegt?' Heel leuk, mag ik hopen. Als moeder weet ik dat Emma op relationeel gebied nog heel wat jaloezie, woede en gekwetste trots te wachten staat. Dat hoort erbij. Uiteindelijk loopt iedereen het pad der zeven zonden. En dat is ook goed, want de juiste dosis wraakzucht, luiheid en gulzigheid kan best lekker zijn. Een leven zonder zonde is zonde van het leven.

Korte lontjes

Jaren geleden was ik met een modeteam aan het fotograferen in de wildernis van Alaska toen we voor de lunch stopten bij een truckerscafé. Het menu was blijkbaar nogal variabel, want bij de ingang hing een bord met: YOU KILL IT, WE GRILL IT. Op het toilet zat recht tegenover de pot een klein deurtje in de muur. Op dat deurtje stond de waarschuwende tekst: 'Niet openen!' Dus wat deed ik? Ik deed het open. Er zat niks achter behalve een sirene, die prompt begon te loeien – ook binnen in het café. Bij terugkomst zaten alle stamgasten me uit te lachen. Die sirene bleek al jaren het succesnummer van dit wegrestaurantje, want bijna niemand kon de verleiding weerstaan. Een vriend van mij is schilder en zodra hij ergens klaar is, hangt hij altijd een papiertje op: 'Natte verf – voel maar!' Met deze tekst is de kans groter dat passanten er níét aan gaan zitten. Wanneer hij alleen 'natte verf' schrijft, wil iedereen toch zelf even voelen. Blijkbaar is niets zo aanlokkelijk als iets wat niet mag.

Dat heb ik ook in musea. Zodra er bij een eeuwenoud beeld expliciet staat aangegeven: 'Niet aanraken!', moet ik het toch even doen. Die beelden zijn ook altijd het meest beduimeld, en ik vraag me af wat eerder kwam: de behoefte om nou juist dát beeld aan te raken, of het bordje. Ik denk het bordje, want dat brengt je op ideeën. Niet duiken in het ondiepe, niet praten in een stiltecoupé, niet bellen in het ziekenhuis – er is altijd wel iemand die daardoor de onbedwingbare behoefte krijgt om het toch te doen. (Over niet roken zullen we het maar helemáál niet hebben.) Mensen zijn nu eenmaal baldadig en nieuwsgierig en vinden het lekker om iets stouts te doen. Dit is volgens mij de hele attractie van het curieuze fenomeen 'vuurwerk afsteken'. Want iets waar de overheid zoveel waarschuwende campagnes aan wijdt – dat moet wel übercool zijn. Het jammere is alleen dat dit echt gevaarlijk kan zijn. Bij het aanraken van natte verf riskeer je vieze vingers, maar bij het bepotelen van vuurwerk riskeer je afgerukte vingers.

Dat Nederlanders iedere oudejaarsavond een dikke zestig miljoen euro in rook laten opgaan, is vrij uniek te noemen. Steden als Londen, Sydney en New York organiseren prachtige siervuurwerken, maar wij willen zelf aan de touwtjes trekken. Letterlijk. De hoeveelheid buskruit in Nederlands consumentenvuurwerk is al hoog te noemen, maar we willen nog meer. En dus wordt er massaal illegaal vuurwerk gekocht, voornamelijk in België. Resultaat: alle brievenbussen moeten dicht, de honden naar binnen en de kinderen achter de ramen. Harde overheidscampagnes met bloederige stompjes hebben evenveel effect als lelijke teksten op sigarettenpakjes. Want dat rund, dat ben jij natuurlijk niet. Da's de buurjongen. En zo vielen er vorig jaar weer 1100 gewonden, van wie 42% het vuurwerk niet zelf had aangestoken. Omstanders dus, van wie de helft ook nog eens jonger was dan vijftien jaar. Vingers eraf, ogen eruit – iedere oudejaarsavond hetzelfde liedje. Toch zou het zonde zijn om vuurwerk te verbieden omdat een irritante groep zich niet aan de regels kan houden. Misschien kan speciaal voor hen een nieuwe campagne worden bedacht: 'Pas op, kort lontje – voel maar!'

Moederskindjes

Er lijkt een nieuw soort man te zijn opgestaan: het moederskindje. Moederskindjes bestonden natuurlijk al, maar de laatste tijd hebben zij nieuwe vormen aangenomen. Die van popster, bijvoorbeeld. Ik vind het echt opvallend hoezeer sommige beroemde mannen met hun moeder dwepen. Begrijp me niet verkeerd: ik ben er helemaal vóór dat een jongen een warme band opbouwt met zijn mama. Het zijn immers de moeders (en de zussen) die opgroeiende jongens het besef bijbrengen dat vrouwen met respect behandeld dienen te worden. En ik begrijp natuurlijk maar al te goed waarom de zestienjarige popsensatie Justin Bieber zijn moeder overal mee naartoe neemt. Maar de veertigjarige P. Diddy? De succesvolle rapper en kledingontwerper staat bekend om zijn wilde feesten en zijn onvermogen om langdurige relaties aan te gaan. Gelukkig is er één vrouw die hij wel trouw kan zijn: zijn moeder Janice. Geen partij of ze is erbij, behangen met goud en diamanten.

Ook de zanger Usher en zijn moeder Jonnetta zijn onafscheidelijk. Ze is niet alleen zijn manager, maar bedisselt ook welke vriendinnen door de ballotage komen. En als mams je niet ziet zitten, maak dan je borst maar nat. Maar niet alleen stoere rappers verafgoden hun mama; acteurs kunnen er ook wat van. Übermacho Gerard Butler neemt bij gebrek aan een vaste relatie geregeld zijn moeder mee naar de Oscars: 'She's my favorite girl!' Ook Tom Cruise is wonderlijk close met zijn moeder; ze woont zelfs bij hem in huis en vergezelt hem op nagenoeg alle vakanties. Maar *Transformers*-acteur Shia LaBeouf spant de kroon. In een interview met de Amerikaanse *Playboy* noemde hij zijn moeder 'de meest sexy vrouw die ik ken'. Om daaraan toe te voegen: 'Als ik haar kon ontmoeten en met haar kon trouwen, dan deed ik dat'. Dat klinkt behoorlijk ongezond, maar het komt vaker voor dan je denkt. Andersom ook: er zijn legio vrouwen die het liefst zélf met hun zoon zouden willen trouwen. Het fenomeen moederskindje wordt dan ook niet zozeer veroorzaakt door het kindje, als wel door de moeder. Zij trekt achter de schermen aan de touwtjes, waarbij zoonlief wordt gemanipuleerd en emotioneel gechanteerd.

Door de recessie blijven mannen steeds langer in Hotel Mama wonen, waar zij op hun wenken worden bediend. Mama doet de was, mama doet de financiën, mama maakt het lunchtrommeltje klaar. Maar ook mannen die niet meer thuis wonen, kunnen behoorlijk onder de plak zitten bij hun moeder. Zeker wanneer vader reeds is overleden, en de zoon als een soort surrogaatechtgenoot wordt gezien. De man van een vriendin van mij wordt de hele dag gebeld door zijn moeder over allerlei wissewasjes. Ook staat mevrouw geregeld rond etenstijd op de stoep om vervolgens in de pannen te loeren en hoofdschuddend te oordelen dat 'Maarten zijn gehaktbrood op die manier niet lekker vindt'. En Maarten? Die haalt zijn schouders op. Klem tussen twee vrouwen doet hij wat mannen altijd doen wanneer ze het even niet weten: niks. En dit, zo heb ik eens gelezen, is de reden waarom puberjongens zo uit de band springen. Ze hebben alleen dat ene seizoen, waarin ze uit de greep zijn van hun moeder maar nog niet in de klauwen van een echtgenote zijn beland.

Veertig kilo

Op de middelbare school lustte ik alleen maar thee met twee scheppen suiker. Totdat mijn moeder zei dat ik helemaal geen thee dronk, maar suikerwater. Ze deed mij vervolgens een blinddoek om en liet me drinken uit twee kopjes: één met heet water en twee scheppen suiker en één met thee en twee scheppen suiker. Ik kon de thee niet aanwijzen, want de drankjes smaakten precies hetzelfde. Dit was voor mij zo'n eyeopener dat ik acuut ben gestopt met suiker in de thee. Daar voelde ik me destijds heel goed over, maar tegenwoordig zetten twee schepjes minder geen zoden meer aan de dijk. Want álles wat je vandaag de dag eet of drinkt, staat bol van de toegevoegde suiker. Iedereen weet nu wel dat een glas Fristi maar liefst vijf suikerklontjes bevat, een blikje cola acht en een flesje AA tien. En toch blijven we het drinken. Maar er worden ook massa's suiker toegevoegd aan dingen waar je het niet van verwacht, zoals brood, soep, kaas, tandpasta, blikgroenten, vleeswaren en chips. Daardoor eten Nederlanders zo'n veertig kilo suiker per jaar, een onvoorstelbare hoeveelheid. (Vergelijk dat eens met de 6,5 kilo van de doorsnee Chinees!)

Het ergste is nog dat geraffineerde sucrose, dus door mensen gemaakte suiker, een voedingswaarde heeft van nul-komma-nul. Sterker nog: om fabriekssuiker te kunnen verteren, moet je lichaam vitamines, mineralen en calcium opofferen. Al die suiker levert niet alleen veel lege calorieën, maar het irriteert ook je darmen, maakt moe, veroorzaakt tandbederf, verzwakt het immuunsysteem, stimuleert de groei van nare schimmels en leidt uiteindelijk tot diabetes. Eerlijk gezegd wist ik dit allemaal niet. Natuurlijk wist ik wel dat je zuinig moest zijn met suiker maar dat het zó ongezond was, is nieuw voor mij. Nu ben ik bepaald niet van de suiker-Taliban. Nooit geweest ook. Volgens mij moet je kinderen niet verbieden om te snoepen, maar moet je ze leren hóé ze moeten snoepen. Gewoon, met af en toe wat lekkers. Maar nadat ik had gelezen dat het aantal diabetici explosief blijft stijgen, dacht ik: kom, laat ik eens met mijn hele gezin proberen om een week geen suiker te eten. Nou, dát was moeilijk! Het was echt een afkickproces.

Na iedere maaltijd kreeg ik een wegtrekker omdat ik een schreeuwende behoefte had aan iets zoets. Richard liep de eerste dagen met hoofdpijn rond en Emma was chagrijnig omdat ze op school de traktaties aan zich voorbij moest laten gaan. Alec kon het op een gegeven moment niet meer aan en ruilde de kaasstengel uit zijn trommeltje stiekem tegen een Oreo. Ik miste koekjes bij de thee, dropjes bij het typen, chocorozijnen bij de televisie. Ik at veel kastanjes en amandelen en Richard pelde hele kistjes mandarijntjes leeg. Het was écht even doorbijten, maar aan het einde van de week kwam er een soort helderheid; de hunkering was verdwenen. We voelden ons minder opgeblazen, minder misselijk en vooral minder moe. Ik ga heus wel weer wat suiker eten, maar ik ben me beter bewust van de hoeveelheden. 'Dus wat hebben we hiervan geleerd?' vroeg ik aan Emma en Alec. Daar hoefden ze niet lang over na te denken: 'Dat we dit *nooit* meer willen doen!'

Valentijnsdag

Wat geef je een man op Valentijnsdag? Laat ik eens beginnen met wat je hem níét moet geven. Een knuffelbeer. Hartvormige koffiekopjes. Bloemen. Grijsdekkende haarverf. Maaltijdvervangers. Geurkaarsen. Een push-upslip die zijn zaakje nog wat doet lijken. Massageolie. De dvd van *Sex and the City*. Sierkussens. En natuurlijk ieder zelfhulpboek uit de categorie: 'Man, durf te praten!' Maar wat willen mannen dan wel? Dat blijkt heel eenvoudig te zijn. Mannen willen gadgets. Een gadget is de mannelijke g-spot. Vergeet seks. Vergeet lingerie. Je krijgt de man van nu vooral aan het kwijlen met een iPhone. Dat is onlangs pijnlijk duidelijk geworden op de Amerikaanse televisie. Daar had Playboy TV een nieuwe realityshow bedacht: *Gadget or the Girl*. Een man moest uit drie lekkere wijven er twee kiezen, daarmee 'n dagje daten, en er dan één overhouden. Vervolgens kon hij weer kiezen: met het bewuste meisje een weekendje weg of gokken op de mystery gadget. Dat kon van alles zijn, variërend van een flipperkast tot een 60-inch flatscreen-tv.

En wat denk je? De meeste mannen kozen voor de gadget! Soms bleek het een lullige mp3-speler van amper 100 euro te zijn, maar dan nóg waren ze er blij mee. Is het omdat er meer knopjes op zitten? Op een vrouw zitten er tenslotte maar twee – het derde blijkt voor veel mannen toch nog moeilijk te lokaliseren. Of is het een kwestie van een simpele kosten-batenanalyse en heb je gewoon langer lol van zo'n elektronisch speeltje? Begrijp me niet verkeerd: ook ik kan een strakke gadget waarderen. Ik wil bijvoorbeeld heel graag de Sony Reader, die dit jaar eindelijk naar Nederland komt: een e-reader met 'echte' pagina's, waar je wel 160 boeken op kunt laden. Maar geen seks? In ruil voor een gadget? Dat kan toch niet waar zijn. En toch is dit precies wat mannen aangeven in onderzoeken. Maar liefst 47% van de Engelse heren zou zes maanden droog willen staan voor een 60-inch flatscreen-tv. Dat inspireerde een gadgetsite tot hun eigen poll: voor welk hebbeding zouden mannen afzien van een lekker ding?

De PlayStation eindigde hierbij op nummer drie en de iPhone op nummer twee. En op nummer één, daar is-ie weer, stond de 60-inch flatscreen-tv. Wat is dat toch met die monsterlijke tv? Dat ding heeft een doorsnede van anderhalve meter! Heb je slechte ogen of zo? Helaas blijkt ook het computerscherm een zaadverlagend effect te hebben, want uit een onderzoek van softwarefabrikant Intel is gebleken dat ruim 30% van de mannen liever twee weken zonder seks zou doorbrengen dan zonder internet. Wat is nu de moraal van dit verhaal? Willen mannen seks met een gadget? De iPhuck, zou dat het ultieme zijn? Maar je schuift een bedpartner toch niet opzij voor een plasmascherm of een touchscreen? 'O nee?' zei Richard, zonder op te kijken van de tv, 'en als die Amerikaanse realityshow nou *Bag or the Boy* had geheten? Dat vrouwen mochten kiezen tussen een weekendje met een lekkere kerel of een dure designerhandtas?' Wat – een Dior Gaucho? Een Gucci Hysteria? Of een Hermès Birkin?! Sorry, in dat geval zal die lekkere kerel zijn USB-stick ergens anders in moeten steken.

Eten is seks

Vrouwen denken vaker aan eten dan aan seks. 60% van de vrouwen bleek namelijk meer dan tien keer per dag aan seks te denken, maar 70% dacht nóg vaker aan eten. Deze 'opvallende' uitkomst van een onderzoek haalde vorige week alle voorpagina's, maar eerlijk gezegd weet ik niet wat er zo opvallend aan is. Niet alleen liggen de percentages dicht bij elkaar, maar seks en eten zelf zijn ook nauw met elkaar verbonden. Het heeft allebei te maken met genieten, met gulzigheid, met proeven en likken en ruiken. Iedere chef-kok weet dat een goed gerecht meerdere zintuigen moet bevredigen: hoe het wordt opgediend, hoe het geurt, hoe het voelt, hoe het smelt in je mond of juist uiteenspat in een smaakexplosie. Dat klinkt bijna erotisch – en eerlijk gezegd ís het dat ook. Luister maar eens hoe vrouwen onderling over lekker eten kunnen praten, dat is je reinste orgastronomie. Ze maken elkaar gek met sappige verhalen over dikke frieten, warme appeltaart en romige chocolademousse.

Als de liefde van een man door de maag gaat, dan gaat-ie bij vrouwen door de mond. Zo stond er laatst nog in de krant dat vrouwen de eerste tongzoen als een graadmeter gebruiken voor het al dan niet aangaan van een relatie. De zoen als amuse: blijkbaar kunnen vrouwen 'proeven' of het wat wordt of niet. (Dus heren, niet gescoord met carnaval? Dat komt omdat je tong door al dat bier verandert in een zure rolmops.) Mannen die goed kunnen koken hebben bij vrouwen vaak een streepje voor – waarschijnlijk omdat zij hebben bewezen dat ze in ieder geval íéts kunnen klaarmaken. Zelfs die pokdalige, vuilbekkende Gordon Ramsay is ontegenzeggelijk een lekker hapje. Is het omdat-ie zo goed is met zijn handen? Ik weet het niet precies. Maar het heeft iets heel aantrekkelijks als hij weer eens gehakt staat te kneden. Mannen hoeven zich hierbij trouwens niet achtergesteld te voelen, want die hebben Nigella Lawson. Niemand kan zo suggestief carbonarasaus van haar vingers likken als zij. Zeker nu iedereen de mond vol heeft van diëten, is niks zo sexy als iemand die met overgave kan genieten van lekker eten.

Mensen die elkaar leuk vinden, gaan op hun eerste date meestal samen uit eten. Dat is niet alleen intiem (en het gedimde licht doet wonderen voor je gezicht) maar het vertelt je ook het nodige over iemands karakter. Is het een slurper of een knoeier, een genieter of een twijfelaar? Kijkt-ie eindeloos op de kaart, wil hij nooit wat nieuws proberen of lepelt hij altijd jouw toetje leeg? Trek vooral je eigen conclusies. En valt de seks uiteindelijk toch nog tegen, dan vind je ongetwijfeld troost bij een moorkop. Die geeft altijd precies de bevrediging die je ervan verwacht. Misschien dat vrouwen daarom nog nét iets meer aan eten denken: het is wat overzichtelijker. Zo blijf je na het genot van een warm kaascroissantje slechts met een kléíne zak zitten. En je hoeft geen extra bescherming te gebruiken; een servetje is genoeg. 'Effe een vette bek halen' is ook stukken plezieriger dan naast een vette bek wakker worden. Want zoals mijn single vriendin altijd zegt: 'Waarom zou je het hele varken nemen voor die ene worst?'

Groen? Nee, gewoon goed opgevoed

Binnenkort organiseer ik een familiediner, en ik krijg het al warm als ik eraan denk. Als je vroeger een etentje gaf, waren je belangrijkste zorgen dat de wijn, de oven en de relatie met je schoonfamilie op de juiste temperatuur waren. Maar nu moet je ook nog rekening houden met de opwarming van de aarde. Omdat ik niet persoonlijk verantwoordelijk wil zijn voor de dreiging van Amersfoort aan Zee, serveer ik enkel biologisch-dynamisch eten en ecologisch verantwoorde wijn. Daarbij hoort natuurlijk groene thee, eerlijke koffie en slaafvrije chocolade. En ik zet uiteraard alléén vis op tafel die niet op de zwarte lijst staat. Kaarsen van paraffine zijn uit den boze omdat deze stof wordt gewonnen uit petroleum, en gekleurde geurkaarsen schijnen giftige dampen af te geven. Sfeervolle dimmers zijn helaas geen optie, want spaarlampen kun je niet dimmen. Maar gelukkig zijn er ook nog kaarsen van bijenwas – die mogen wel van de plezierpolitie. Eten doen we op oud, geërfd servies 'voor de connectie met het verleden' en de borden staan natuurlijk niet op plastic placemats maar op bamboe matjes, want die worden straks weer 'opgenomen in de aarde'. Naast de borden liggen servetten van organisch geteeld katoen want papieren servetten die je maar één keer kunt gebruiken, drukken te zwaar op mijn geweten. Niemand hoeft een cadeautje mee te nemen, want met één klik doneer je een boom in Nigeria.

Moeten er toch per se presentjes worden gegeven, houd ze dan kaal. De ecologisch verantwoorde burger vervangt alle plastic en metallic linten door raffia, bloemen of takjes. Cadeaupapier is overdaad, dus pakjes doen we vanaf nu in houten doosjes, gerecycled papier, oude posters of een mooie stoffen zakdoek. Of je draait ze in oude kranten met een *stylish* rode strik. Na de maaltijd was ik mijn vieze tafellaken met ecowaspoeder (uit een kartonnen doos!) en gooi de etensresten in een Wormery: een bak met tijgerwormen voor mijn eigen compost. En dan... dán ga ik naar buiten om even heel hard te gillen. Want een mens wordt toch al moe bij de gedachte? Misschien kan ik dat hele familiediner beter afblazen en op vakantie gaan. Maar ja, om klimaatneutraal te kunnen reizen, moet ik eerst die airmiles ergens afkopen. Soms lijkt het wel de Middeleeuwen, waar je met aflaten boete kon doen voor je zonden. Nu ik erover nadenk, ís het klimatisme ook een soort religie geworden. Niemand durft een afvallige zijn. Wetenschappers die het lef hebben om te beweren dat we misschien eens kritisch naar al die doemscenario's moeten kijken, worden verketterd als klimaatontkenners. De opwarming van de aarde is een dogma geworden, met Al Gore als zelfbenoemde paus. Er worden publicitaire kruistochten gevoerd tegen andersdenkenden. Ook de pelgrimstochten zijn weer terug; ze heten nu ecotoerisme. CO_2-zondaars hebben zelfs een moderne votiefkaars: de spaarlamp. En de hel en verdoemenis die het broeikaseffect ons gaat brengen (Malariamuggen! Hevige neerslag!) lijken verrassend veel op twee van de bijbelse plagen: steekvliegen en hagel.

Maar sommige van de groene wortelen die ons worden voorgehouden, blijken bij nader inzien helemaal niet zo smakelijk te zijn. Zo blijken 2,5 miljoen Nederlandse gezinnen die groene stroom dachten te ontvangen, gewoon 'grijze' te hebben gehad, of nog erger: stroom uit Franse kerncentrales. En dan al die tegenstrijdige adviezen. De airco in je auto mag eigenlijk niet meer aan, maar wanneer je met open ramen rijdt, blijk je door de wrijving nog meer benzine te verbruiken. En ze zeggen dat je beter geen wegwerpluiers meer kunt gebruiken, maar katoenen luiers blijken door het uitkoken uiteindelijk meer energie te kosten. Wie weet nog hoe het moet? Laatst gooide mijn dochter netjes een papieren zakje weg, toen een vrouw tegen me zei: 'Wat goed dat je haar leert te recyclen!' Recyclen? Volgens mij hoort het gewoon bij een normale opvoeding. Mijn vader zei altijd: 'De zuinigste lamp is een lamp die niet brandt.' En dus doe ik nog steeds overal waar ik niet ben het licht uit. Ik droog mijn was aan de lijn en pomp mijn autobanden goed op zodat ik minder benzine verbruik. Want ik wil graag bijdragen aan een schoner milieu, aan duurzaamheid, aan consuminderen, kortom: aan goed burgerschap. Maar ik wil me níét bang laten maken. Dit is niet het einde der dagen. Want zoals Godfried Bomans ooit al zei: 'Ook deze tijd zal eenmaal de goede oude tijd worden.'

Gênant

Ik heb een zwart gat voor namen. Ik krijg ze maar niet onthouden. Gelukkig heb ik wel een goed geheugen voor situaties. Het overkomt me namelijk regelmatig dat mensen me aanspreken over het heuglijke feit dat ze mij in 1993 hebben geïnterviewd voor de schoolkrant van Kleidorp. Of dat ik in 1997 een boek heb gesigneerd op de kaasmarkt van Greppelveen. En weet je nog dat ik in 2001 naast jou zat in het visrestaurant van Lutjewier? Vaak kan ik me dat inderdaad nog herinneren. Maar namen? Kansloos. Soms weet ik precíés wie iemand is, maar schiet de naam me gewoon niet te binnen. Zo presenteerde ik jaren geleden de grote live finale van Miss Beautiful Black. Bij de ontknoping spoot er confetti over het podium, de feestmuziek werd ingestart, het kroontje werd het toneel op gedragen en ik zei: 'Dames en heren, hierrrr is de winnares van Miss Beautiful Black...' En toen wist ik haar naam opeens niet meer. (Sorry, Jasmine Sendar!)

Eerst ging mijn gekluns nog in het gejuich verloren, maar daarna moest ik de winnares kort interviewen. Met het zweet in mijn bilnaad probeerde ik alsmaar om haar naam heen te praten: 'Zo, eh, schoonheid, hoe voel je je nu?' Op televisie heb ik nooit meer zo'n black-out gehad, maar in het dagelijks leven nog regelmatig. Ik heb er allemaal trucjes voor geleerd, zoals: 'Hoe spel je jouw naam eigenlijk?' (Waarop eens iemand antwoordde: 'J-A-N, hoezo?') Nu las ik laatst in een interview met een etiquettedeskundige dat iedereen weleens 'n naam vergeet, en dat je het 'gewoon' opnieuw kunt vragen. Maar ja, soms heb ik het al twee keer gevraagd – en dan? In hetzelfde interview las ik trouwens ook dat wanneer een collega uit zijn mond stinkt, jij dat net zo goed 'gewoon' kunt vertellen. Echt? Ik vind dat heel moeilijk. Spinazie tussen de tanden, slasaus op de kin, gulp op de tocht – ik zeg het allemaal. Je moet elkaar toch een beetje helpen in het sociale verkeer, want niemand staat graag voor gek.

Toen ik onlangs op een première was, stak mijn bh-band achter uit mijn galajurk. Dat had ik nooit geweten als Linda de Mol hem niet op eigen initiatief terug naar binnen had gevouwen. 'Dat zegt nou nooit iemand tegen je,' fluisterde ze. En daar had ze gelijk in. Mensen laten je liever met toiletpapier onder je schoen slepen dan je even ergens discreet op te wijzen. Maar bepaalde dingen vind ik ook moeilijk om te zeggen. Zoals een vieze adem. Of van dat witte schuim dat sommige enthousiaste sprekers in hun mondhoeken krijgen. Brr! Hoe zeg je dát? Maar misschien is dit soort gêne typisch iets voor vrouwen. Als ik samen met een vriendin ga winkelen, zeg ik eerlijk wanneer haar iets niet staat. Maar als ze het al heeft gekocht en het trots komt laten zien? Moeilijk. Want wie ben ik om haar aankoop te ruïneren? Mannen zijn daar volgens mij veel makkelijker in. Die kunnen niet veinzen en zien het nut er ook niet van in. Toen ik laatst thuiskwam met een knalrode nieuwe jas vroeg ik aan Richard wat hij ervan vond. 'Gôh...' zei hij, 'heb je het bonnetje nog?'

Honderd dingen waar ik van hou

100. Lekker binnen zitten als het regent. 99. Een spinnende poes op schoot. 98. Hagelslag. 97. Warme croissantjes. 96. Lentezon. 95. Teruggave van de Belastingdienst. 94. Een groen stoplicht. 93. Kindjes die niet overgeven in de auto. 92. De tip dat een opengeknipt pak koffie de geur van braaksel uit je auto haalt. 91. Krabsticks. 90. *Dochters* van Marco Borsato. 89. Shoppen op internet. 88. Tegen Richard zeggen dat ik dat jurkje al heel lang had. 87. Dat Richard mij ook nog gelooft. 86. Hamka's. 85. Couscous. 84. Skiën. 83. Bratwurst mit pommes na het skiën. 82. New York. 81. Slaappillen voor het vliegtuig. 80. Bokstraining. 79. De sterrenhemel. 78. Warme melk met anijs. 77. Nooit meer wiskunde. 76. Negerzoenen. 75. Ze gewoon negerzoenen blijven noemen. 74. Hyves. 73. Pashokjes zonder cellulitislicht. 72. Een parkeerplaats vinden. 71. Een parkeerplaats vinden in Amsterdam. 70. Hummus. 69. Ons plekje in Spanje. 68. Prima geboortejaar. 67. Stoute sms'jes. 66. Mooie schouders bij mannen. 65. En haar op de juiste plekken, dus geen rug, wel hoofd. 64. Warme vanillepudding. 63. Kip van mijn moeder. 62. Puppy's. 61. Een uitverkoopje in mijn maat. 60. Paraplu bij je als het regent. 59. Bossche bollen. 58. Mangochutney. 57. Zara. 56. *Spraytan.* 55. Recyclen. 54. Stiekem toch iedere keer een plastic tasje nemen bij Albert Heijn. 53. Fietsen in de zon. 52. Weten hoe je een band plakt. 51. Kaas op een stokje van de benzinepomp. 50. De perfecte postkaart voor iemand vinden. 49. Beschuit met kaas. 48. Plassen als je héél nodig moet. 47. Boekjes lezen op de wc. 46. French manicure. 45. Thuis kaarsjes aan. 44. *California rolls.* 43. De geur van nieuwe boeken. 42. Daniel Craig als James Bond. 41. Zelfgemaakte guacamole met tortillachips. 40. Sexy leeftijd. 39. Richard die als verrassing mijn auto tankt. 38. En ook nog even door de wasstraat haalt. 37. Het sportlijf van Rafael Nadal. 36. Zuinig zijn met energie. 35. Maar toch lekker überlang douchen. 34. Het presenteren van *Holland's Next Top Model.*

33. Op het goede moment onhandig zijn met champagneglazen. 32. Pennywafels. 31. Kijken naar de branding. 30. Het geduld van mijn streetdancelerares. 29. Zalmsashimi. 28. Jasmijnthee. 27. Bowlen. 26. Geen verstandige schoenen dragen. 25. Het ongelooflijke idee dat ik bijna één miljoen boeken heb verkocht. 24. Frietje pindasaus. 23. Met de kinderen schaatsen op natuurijs. 22. Clive Owen. 21. Een warm bad. 20. Chocolade. 19. Clive Owen in een bad van warme chocolade. 18. Uitslapen. 17. Seks. 16. Seks na het uitslapen. 15. Of andersom. 14. Eindelijk biceps van het trainen. 13. Zonvakanties. 12. Massages. 11. Nog meer massages. 10. Mijn lieve vriendinnen – jullie weten wel waarom. 9. Nog steeds verliefd op Richard. 8. Grote-meidendingen doen met Emma. 7. Dat Alec nog met zijn mama wil knuffelen. 6. Dat mijn broer Clark is getrouwd met Hayat. 5. Mijn nieuwe Turkse familie in Istanbul. 4. Dat ik van de zomer voor het eerst tante word – van een tweeling. 3. Mijn ouders als opa en oma. 2. De wijsheid van Emma, de humor van Alec en de liefde van Richard. 1. Dat er zóveel is om van te houden, als je maar weet waar je moet kijken.

Winkelen is kunst

Uit een onderzoek is gebleken dat mannen het verschrikkelijk vinden om met hun vrouw te moeten shoppen. Ze vinden de winkelstraten te druk en tot hun grote ergernis zit er totaal geen systeem in de gevolgde winkelroute. (Geen systeem? Echt wel. We bekijken alles met een etalage.) Maar het ergste vinden ze het wachten: dat blijkt gemiddeld zo'n anderhalf uur te zijn. Eerlijk gezegd begrijp ik niet waarom vrouwen überhaupt hun man meenemen als ze gaan shoppen. Laat die kerel toch lekker thuis bij de kinderen! Maar nee hoor – als een onwillige ezel wordt hij over de keien gesleept, en uiteindelijk vastgebonden aan een paaltje buiten de Zara. Daar staat hij dan, met de buggy en de boodschappen. Ik weet niet hoe het komt, maar winkelende vrouwen kunnen behoorlijk lomp met hun echtgenoot omgaan. Dan stallen ze hem alvast in de ellenlange kassarij, zodat ze zelf hun handen vrij hebben om door de rekken te rauzen. Of hij wordt op zo'n roze poefje naast het pashokje geparkeerd ('Zit!'). En daar zit hij dan, het gedomesticeerde mannetjesdier, met de staart tussen de benen en de handtas van het baasje op schoot.

Kom op dames, een man is hier niet voor gemaakt. Hij loopt liever de stormbaan dan de Lijnbaan, en dat begint al heel jong. Zo is mijn zoon Alec fan van het tv-programma *Wipeout*. Het is zijn grote droom om dat parcours eens te mogen doorlopen: kruipen, springen en slingeren door de modder – het lijkt hem fantastisch. Maar twee uurtjes met zijn moeder naar de stad voor nieuwe zomerkleren? Krijgt-ie 'moeie benen' van. Na één modewinkel zakt meneer al door zijn hoeven. 'Ja, pást,' roept hij bij alles wat ik uit het rek haal. En dus zitten we binnen een halfuurtje terug in de auto, waar Alec spontaan weer wat kleur op zijn wangen krijgt. Maar het zou verkeerd zijn om uit dit alles te concluderen dat mannen niet van shoppen houden. Nou en of ze graag winkelen – maar alleen voor dingen die hen interesseren. Een man kan bijvoorbeeld uren door een bouwmarkt dwalen. Hij kan ook eindeloos lanterfanten bij de telefoonwinkel (De z555i? Of de w890i? Of toch maar de x1? Nee, de c702!) of hele dagen doorbrengen op de Stripbeurs in Breda.

Dit valt ook allemaal onder winkelen, alleen mannen noemen het anders. Een man die een zeldzame *Robbedoes*-strip uit 1963 weet te scoren, heet een verzamelaar. Maar een vrouw die een vintage Chanel-jasje op de kop tikt? Koopziek. Als een man heel internet afspeurt voor de juiste lens bij zijn fotocamera, noemt hij dat research. Maar als ík de modesites naloop voor de juiste schoenen bij mijn jurkje, ben ik een *shopaholic*. Kleine jongetjes en volwassen mannen die op een voetbalplaatjesruilbeurs over elkaar heen buitelen voor de laatste nummers? Die hebben een hobby. Vrouwen die bij H&M over elkaar heen buitelen voor de collectie van Victor&Rolf? Die zijn gestoord. Maar ho eens even – Victor&Rolf, dat is kunst. Dus feitelijk winkel ik niet, ik verzamel kunst. Als je shopt, ben je de kunstenaar van je eigen kast. Je speelt met kleuren, tekent een palet! En je man mag ook meekrabbelen. Liefst op de kassabon.

Vrouwen denken in details

Mannen en vrouwen schijnen anders naar kunst te kijken. Wanneer een man voor een schilderij staat, bekijkt hij de voorstelling met één hersenhelft en ziet daardoor vooral het geheel: een overzicht van wat wordt uitgebeeld. Een vrouw blijkt voor hetzelfde schilderij echter twee hersenhelften te gebruiken, en ziet daardoor veel meer details; van de krullen in de lijst en de bloemen in de achtergrond tot de emotie die de schilder heeft proberen uit te drukken. Dit heeft een wetenschapper uitgevogeld door de hersenactiviteit van mannen en vrouwen met elkaar te vergelijken. Maar was daar nu echt zo'n duur onderzoek voor nodig? Dat mannen over bepaalde dingen heen kijken, wisten hun vrouwen allang. Remsporen in het toilet, onwelriekend wasgoed, aangekoekte vaat? Allemaal hinderlijke details die zelden door die ene hersenhelft worden waargenomen. De heren zijn immers van het totaalplaatje, van de grote lijn. Het is alleen jammer dat deze grote lijn nooit samen lijkt te vallen met de waslijn.

Het feit dat vrouwen twee hersenhelften gebruiken, beperkt zich volgens mij niet alleen tot schilderijen. Iedere garagehouder kan je vertellen dat mannen bij de aanschaf van een nieuwe auto vooral naar het uiterlijk kijken: heeft het mooie lijnen, kun je er lekker mee rijden en zitten er ook nog een paar flinke koplampen op? Verkocht! Hun echtgenotes daarentegen zijn een stuk moeilijker te overtuigen. Want waar moeten de kinderzitjes in die vette coupé? En hoe zit het met de afschrijving, de wegenbelasting en het benzineverbruik? Dit kritische detaildenken kan heel nuttig zijn, maar in de praktijk wordt het door veel mannen als zeurderig ervaren. Zo voelde ik mij laatst onaangenaam verrast toen bleek dat Richard niet twee maar víér vrienden voor het avondeten had uitgenodigd. 'Gezellig toch?' zei meneer. Gewoon twee bordjes erbij, hoe ingewikkeld kon het zijn. Dat ik een speciaal menu had samengesteld en nu niet genoeg eten in huis had – daar had Richard geen moment bij stilgestaan. Mannen houden nu eenmaal van het grote gebaar; ze lijken zich niet druk te maken over de kleine lettertjes. En dat begint al jong.

Als moeder van een dochter en een zoon heb ik ervaren dat het opvoeden van een jongetje een heel andere tak van sport is. Meisjes dénken voordat zij iets doen, terwijl jongens zich blindelings in de meest onmogelijke avonturen storten. Het lijkt wel of zij met die ene hersenhelft niet overzien wat de gevolgen van hun drieste acties zouden kunnen zijn. Toen Alec als tweejarige wildebras in een diepe kelder was gevallen, moest hij een nacht ter observatie in het ziekenhuis blijven. De arts op de eerstehulpafdeling keek naar Alecs gehavende gezichtje en zuchtte: 'Mevrouw, het zijn altijd de jongetjes. Dobbelsteen ingeslikt? Een jongetje. Met de driewieler de sloot in gereden? Een jongetje. Uit de boom gevallen? Een jongetje.' Dit patroon blijft zich tot in de volwassenheid herhalen. Waar vrouwen vaak een gekmakende onzekerheid tentoonspreiden, lijden veel mannen juist aan een meerderwaardigheidscomplex. Zo vertelde mijn golfleraar dat de meeste vrouwen (net als ik) eindeloos les nemen en tot in lengte van dagen op de *driving range* blijven oefenen. Terwijl een man die voor het eerst een golfclub oppakt, gewoon denkt: hoe moeilijk kan dit zijn? En vervolgens gaat hij schaamteloos de plaggen uit de baan slaan.

Toch mag de geschiedenis al die onbesuisde mannen ook dankbaar zijn: niet gehinderd door enige bescheidenheid hebben zij de wereld veranderd. Het is niet toevallig dat de grootste waaghalzen en ontdekkingsreizigers veelal mannen zijn geweest. Toen de bergbeklimmer George Mallory aan het begin van de vorige eeuw werd gevraagd waarom hij de levensgevaarlijke Mount Everest wilde beklimmen, gaf hij het even beroemde als onzinnige antwoord: 'Omdat hij er staat.' Helaas komt deze bedwingdrift nooit naar boven bij het aanschouwen van een berg met wasgoed. Maar misschien is dat maar beter ook. Want mannen en de was – het blijft een moeizame combinatie. Laatst had ik tegen Richard gezegd dat ik het fijn zou vinden wanneer hij ook eens op het idee zou komen om de wasmachine te vullen. En wat denk je? Hij deed het ook nog. 'Hé Daf...' riep hij vanuit het washok, 'op hoeveel graden moeten die waterafstotende sportshirts gewassen worden?' 'Wat staat erop?' riep ik terug. Even viel er een stilte, en toen antwoordde Richard: 'Nike!'

Praten met je pubby

Van de ene op de andere dag is mijn dochter Emma veranderd in een puber. Ze nam een vuilniszak mee naar boven en daar gingen al haar schatten: de *Winx*-poppen, de *Bratz-dolls* en de hele barbiecollectie. De jonge dochters van mijn vriendinnen zijn er blij mee, maar ik eigenlijk niet zo. Want het lijkt wel een opheffingsuitverkoop: Alles Moet Weg. Soms bekruipt mij het gevoel dat Emma, de dochter zoals ik die tien jaar heb gekend, zichzelf ook een beetje heeft opgeheven. Ze is net elf geworden, en vroeg voor haar verjaardag 'een echt bed'. De knusse hoogslaper met de roze gordijnen waar ze jarenlang zo trots op was, deed nu opeens pijn aan haar ogen. Ook haar favoriete poster met de slapende puppy werd genadeloos ingeruild voor een halfnaakte Zac Efron van *High School Musical*. 'O mama,' zwijmelde Emma, 'wat is-ie knap hè...' Omdat ik het nogal ongepast vond om over het ontblote bovenlijfje van een tienerjongen te oordelen, hield ik het neutraal door te zeggen dat Zac wel wat weg had van een puppy met dat al haar in zijn gezicht en die trouwe hondenblik. 'Aarghh,' rolde Emma met haar ogen, 'jij begrijpt ook niks!'

Daar heeft ze eigenlijk wel gelijk in want het is best verwarrend, zo'n dochter in de prepuberteit. Officieel heet een meisje pas 'in de puberteit' als ze begint met menstrueren, maar de voortekenen zijn er al veel eerder. Ze worden wat molliger en humeuriger, slapen langer uit en groeien uit hun kleren. Maar ze groeien ook uit jóú, want afzetten tegen de ouders, rebellie en een hang naar zelfstandigheid horen er allemaal bij. Nu is Emma nog steeds een lief meisje, maar af en toe zie ik al wat scheurtjes in het vernis. Dan kan ze stampvoeten om niks of word ik getrakteerd op het klassieke wat-weet-jij-daar-nou-van. En dus heb ik het boek van Annette Heffels maar eens gekocht: *Praten met je puber... betekent nadenken over jezelf*. Vooral dat laatste vond ik een openbaring, want inderdaad: mijn reactie op Emma's naderende puberteit zegt misschien wel meer over mij dan over haar. Ergens komt het me allemaal zo bekend voor.

De *High School Musical* van nu is de *Grease* van toen. De neon veters met de fluorescerende beenwarmers hadden wij ook al bij Doe Maar. U2 was in mijn tijd al 'ziek goed' en ken je *Fame* nog? Dat heet nu *Camp Rock*. Het enige wat écht is veranderd, is het koeterwaalse taalgebruik. Maar gelukkig heb je daar tegenwoordig heuse Prismawoordenboekjes voor: de 'Drop je lyrics'-serie. Daar kun je als ouder je pubby mee ondertitelen als-ie weer eens zit te nuieren; een mix van niks doen en luieren. Iemand die stottert is aan het scratchen, een lelijk meisje is een multipla, een post-it een irritante gast die aan je blijft plakken en met een kanaalzwemmer wordt de afstandsbediening bedoeld. Terwijl ik door het boekje bladerde, kwam ik ook het woord granma tegen: dat is een vrouw van dertig. 'Nou, lekker is dat,' zei ik tegen Emma, 'als je met dertig al een oma wordt genoemd, hoe moet ik dan wel niet heten?' Daar hoefde mijn dochter niet lang over na te denken: 'Een mummie.'

Honderd dingen waar ik niet van hou

100. Hondendrollen die het baasje 'vergeet' op te rapen. 99. Dikbuikige mannen die commentaar geven op vrouwen op het strand. 98. Spruitjes. 97. Keukenspullen die op de verkeerde plek zijn teruggezet. 96. Onnodig links rijden. 95. Met je sokken op een natte plek gaan staan. 94. Altijd de verkeerde kassarij kiezen. 93. Ben je bijna aan de beurt, gaat de kassa ernaast open. 92. Honden die in je kruis duiken. 91. Het geluid van een tandartsboor. 90. Obers die steeds komen vragen of alles naar wens is. 89. Obers die stug de andere kant op kijken. 87. Slachtofferrol. 86. Een ladder in je panty. 85. Voordringers. 84. Rihanna terug bij haar agressieve vriendje. 83. Mannen die weigeren de weg te vragen. 82. Shampoo in je haar – warme water op. 81. Luizen. 80. Een natte boterham. 79. Parkeer je drie straten verderop, is er een plekje vrij voor de deur. 78. Ringtones. 77. Opgespoten vissenlippen. 76. Studiedagen. 75. Met de wc-rol naar het campingtoilet. 74. Remsporen. 73. Een kijkfile. 72. Ouderwets takkeweer klimaatverandering noemen. 71. Thee uit een koffiekan. 70. Dat een jongere vriend een *toy boy* heet. 69. Kauwgom onder een stoel. 68. Spam. 67. Pijpwedstrijden in discotheken. 66. Chagrijnige diëters. 65. Een verregende zomer. 64. Mannen die geen condoom om willen doen. 63. Onbegrijpelijke gebruiksaanwijzingen. 62. Nieuwe spullen die niet werken. 61. Een betaalpas die weigert. 60. Geen bereik hebben. 59. Telefonische verkopers. 58. Visite die een kwartier te vroeg komt. 57. Absurde parkeertarieven. 56. Kinderen die door restaurants rennen. 55. Octomom. 54. Honden die met bemodderde poten tegen je op springen. 53. Hun eigenaren die dan vragen 'of je soms niet van dieren houdt'. 52. Droomschoenen, maar niet in jouw maat. 51. Verkeersaso's. 50. Een natte krant die uit de brievenbus steekt. 49. Dat onverkochte loten ook meetrekken. 48. Witte sokken in sandalen. 47. PMS. 46. Rokersadem. 45. Mannen die in hun kruis knijpen. 44. Witte smurrie in de mondhoeken. 43. Een bus die voor je neus

wegrijdt. 42. Druppels op de wc-bril. 41. Wiskunde. 40. Kinderen die overgeven in de auto. 39. Reparateurs die 'ergens tussen 12.00 uur en 18.00 uur' komen. 38. Voorbeschouwing van een voetbalwedstrijd. 37. Tussenbeschouwing. 36. Nabeschouwing. 35. Schaatsen op de buiszzzz... 34. Mediagezeik over vrouwen. 33. Dan is Britney weer te dik. 32. Victoria Beckham te dun. 31. Madonna te oud. 30. Haar vriendje te jong. 29. Dat vrouwen nooit goed genoeg lijken te zijn. 28. Wc-papier opmaken maar niet vervangen. 27. Leugenaars. 26. Ongesteldheid die te vroeg komt. 25. Of te laat. 24. Valse bescheidenheid. 23. Een verkeersfuik als je haast hebt. 22. Het zit op de bank en laat scheten. 21. Na de seks op de natte plek liggen. 20. Mensen die snot opeten. 19. Oppassen die afbellen. 18. Verpakkingen die je niet open krijgt. 17. 's Nachts in de file. 16. Luidruchtige etterbakjes in de bioscoop. 15. Bonussen. 14. Jeugdige criminelen 'boefjes' noemen. 13. Andermans vakantiefoto's. 12. Andermans bevallingsvideo. 11. Hooligans. 10. Dronken mensen achter het stuur. 9. Onbeantwoorde liefde. 8. Gebruikte tampon in het zwembadwater. 7. Schoolpleindealers. 6. Loverboys. 5. De huidige kwetscultuur. 4. Altijd ontevreden, maar er niks aan doen. 3. Kindermishandeling. 2. Kinderporno. 1. Klagen dat vroeger alles beter was.

Bananasplit

Vorige week werd Daan, de PA van Richard en mij, benaderd door *Bananasplit* met de vraag of zij wilde meewerken aan een grap voor het programma van Frans Bauer. Daan heeft daarvoor vriendelijk bedankt maar sindsdien voel ik me toch niet helemaal op mijn gemak. Bij allerlei dingen die gebeuren, denk ik: het zal toch niet *Bananasplit* zijn? Zo stond ik laatst in een groot winkelcentrum iets te presenteren, toen een vrouw op mij af kwam benen. In haar hand klemde zij een folder van het evenement, met daarop een foto van mij. Ze hield de foto naast mijn gezicht en riep: 'Sjeeeezus, wat is er met jou gebeurd? Wat ben jij oud geworden! Of is dit een heeele ouwe foto?' Nu ben ik na al die jaren wel wat gewend, want als bekende Nederlander krijg je van alles naar je hoofd geslingerd: 'Zeg Daphne, passen al jouw organen wel in je lichaam?' 'Hé, lekkers van Deckers! Wil je mijn racket zien?' 'Daffunuh, die Richard van jou is homo hoor, en ik kan het weten!'

Vroeger was ik op zulke momenten echt sprakeloos, maar zo bleu ben ik allang niet meer. Als iemand onbeschoft wilt zijn, kan-ie 'm krijgen ook. Ik hoef me tenslotte niet alles te laten zeggen. Maar sinds dat telefoontje van *Bananasplit* ben ik meer op mijn hoede. Bij die vrouw met dat foldertje dacht ik: oké Daf, blijven lachen, zo meteen komt Frans Bauer om de hoek. Maar nee, die mevrouw bleek echt. Ze werd gewoon niet gehinderd door sociale omgangsvormen. Een paar dagen later zag ik bij het pinnen in Amsterdam dat er een waarschuwingssticker op de pinautomaat zat geplakt: 'Als de gleuf niet op deze tekening lijkt, moet u dit apparaat niet gebruiken!' Nou, de gleuf leek wat mij betreft totaal niet op de tekening. Dus ik wilde om raad vragen aan de man die achter mij stond. Maar wat denk je? Was dat Ruben Nicolaï van de Lama's. En weer dacht ik: zit ik in *Bananasplit*? Het grappige was: volgens mij dacht Ruben dat óók, want ik zag hem echt kijken van: Daphne Deckers heeft problemen met haar gleuf – *yeah, right*.

Maar waarom zit ik nu eigenlijk niet te springen om te figureren in het programma van Frans Bauer? Omdat je het niet snel goed kunt doen. Als je keurig netjes blijft, zoals Pieter van den Hoogenband met zijn bovenmenselijke zelfbeheersing, is de sketch eigenlijk mislukt. Als je ontploft of iets onaardigs zegt, zoals Jeroen van der Boom, moet je godbetert nog in de studio je excuses gaan aanbieden. Als je niet wilt meewerken, zoals Karin Bloemen en Chris Zegers (wat je goed recht is), lekken ze het hele verhaal alsnog naar de media, met het verwijt dat je geen gevoel voor humor hebt. Dus wat te doen? Gewoon doorgaan met ademen. Het echte leven is namelijk nog altijd gekker dan *Bananasplit* kan bedenken. Zo vroeg een man laatst of ik een boek voor hem wilde signeren. Natuurlijk. Wat moest erin? Hij zegt: 'Schrijf maar: voor Jan, mijn lekkere seksmaatje.' Ik zeg: 'Eh... wie is Jan?' 'Nou,' zegt die man, 'dat ben ik.' Frans Bauer – waar bén je?!

Vetblind

Twee weken geleden diende een vrouw bij de Reclame Code Commissie een klacht in over de lingerieposters van Sapph. Het model zou 'mismaakt' zijn omdat ze was gefotoshopt tot onrealistische proporties. Volgens de klaagster representeerde het ranke meisje een onnatuurlijk schoonheidsideaal, waarmee zij tot eetstoornissen zou aanzetten. Bij *Pauw en Witteman* bleek echter dat het bewuste model helemaal niet digitaal was verdund; ze had zo'n lichaam van zichzelf. 'Dan zal ze wel kotsen,' was vervolgens de teneur van de reacties op internet. Sindsdien vraag ik me af wanneer (en waarom) slank-zijn zo'n slecht imago heeft gekregen. Bij het bekijken van de beroemde documentaire *Alleman* van Bert Haanstra, over het gewone Nederlandse leven begin jaren zestig, springt één ding meteen in het oog: nagenoeg iedereen is slank. Nu niet meer. Het Nederlands Instituut voor Sport en Bewegen heeft onlangs uitgerekend dat alle volwassenen samen zeventig miljoen kilo te zwaar zijn; dat werd omschreven als '135 wedstrijdzwembaden vol met vet'. Nu zoveel mensen met overgewicht kampen, zie je een interessante kentering ontstaan.

Zo las ik laatst in een vrouwenblad dat het voor vrouwen boven de dertig 'abnormaal' was om een platte buik te hebben. In de brievenrubriek van *De Telegraaf* pleitte iemand voor het bijstellen van de BMI (de *Body Mass Index*, waarmee je bepaalt of je een gezond gewicht hebt) 'omdat er nauwelijks nog iemand aan kan voldoen'. Een Rotterdamse kliniek voor kinderen met overgewicht vond het raar dat ze zo weinig toeloop hadden, totdat bleek waarom: ouders vonden hun kind helemaal niet te dik, want ze waren zelf ook zo. De Britse obesitasexpert dr. David Ashton stelt dan ook dat 25% van de bevolking 'vetblind' is geworden: ze dénken dat ze een gezond gewicht hebben, maar dat is niet zo. Wat heeft dit te maken met die klacht tegen de billboards van Sapph? Alles. Want het verschil tussen het schoonheidsideaal en de dagelijkse werkelijkheid wordt steeds groter, en dat gaat mensen enorm irriteren. Maar zet zo'n campagne van meisjes in lingerie nu echt aan tot eetstoornissen? Dat is een moeilijke vraag. Het aantal anorexiapatiënten blijft al jaren gelijk, rond de 5500. Nu is iedere patiënt er één te veel, want anorexia is een levensgevaarlijke psychiatrische aandoening, waar je jonge meisjes stevig over moet voorlichten.

Maar als je het afzet tegen de alsmaar groeiende cijfers van miljoenen Nederlanders met ongezond overgewicht, blijft het een vreemde scheefgroei aan verontwaardiging. En zó dominant is dat schoonheidsideaal nu ook weer niet, want er zijn tal van rolmodellen die geen maatje 36 hebben. Denk alleen al aan de meest succesvolle man en vrouw van de Nederlandse televisie: Paul de Leeuw en Linda de Mol. Zij worden terecht geroemd om hun charisma, niet om hun BMI. Of neem Oprah Winfrey, de machtigste mediavrouw van Amerika. Of Oscarwinnares Jennifer Hudson. *Ugly Betty. Bootylicious* Beyoncé. Beth Ditto. De *plus-size*-winnares van de laatste *America's Next Top Model*. Er zijn genoeg voorbeeldvrouwen met een maatje-meer om onze dochters mee te inspireren. Maar laten we onze tieners (en onzelf) vooral niet wijsmaken dat een slank lichaam alleen haalbaar is door uithongering. En laten we in godsnaam realistisch blijven: een vrouw met een slanke taille en een platte buik is níét mismaakt.

Neptassen, echte misdaad

Ik zat laatst op een verjaardag tussen een groepje modebewuste vrouwen toen één van hen trots haar nieuwe Gucci-handtas liet zien. Een prachtexemplaar van de laatste collectie, helemaal hot. En helemaal nep. 'Gekocht op internet,' lachte ze, 'hartstikke goedkoop!' Maar zo zag de tas er niet uit. Het was een perfecte kopie, met de goede stof en de juiste stiksels. Thuis ging ik meteen kijken op de sites die de vrouw had genoemd. Daar wist ik niet wat ik zag: alle merken worden tot op de rits nagemaakt. Dior, Vuitton, Prada, Chanel – allemaal voor een koopje. Vroeger herkende je een nepproduct vanaf de overkant van de straat (Channel met twee n'en hielp ook niet mee), maar deze tassen brachten het vervalsen naar een heel nieuw level. Het meest bizarre vond ik nog dat de websites niet eens geheimzinnig deden over hun illegale praktijken. 'Om geheel aan uw verwachtingen te voldoen, verkopen wij alleen designerhandtassen die perfect zijn nagemaakt, met alle details van het origineel,' staat er op een van die sites te lezen. Ik moet eerlijk zeggen dat ik bijna in de verleiding was gekomen. Noem het, en je krijgt het: Balenciaga, Marc Jacobs, Miu Miu. Niet van echt te onderscheiden.

En dan ga je rationaliseren; je probeert jezelf te overtuigen dat het geen kwaad kan. Want oké, dit spul komt stiekem uit China. Maar dat geldt toch ook voor Gucci? Tenminste, dat schrijft de Amerikaanse onderzoeksjournaliste Dana Thomas in haar boek *Deluxe: How Luxury Lost Its Luster*. Een handtas van 1500 euro kost een modehuis gemiddeld slechts 130 euro om te maken. Daarna verschepen ze de tassen naar Italië, naaien er nog één labeltje op, en voilà: *made in Italy*. Hermès is een van de weinigen die nog daadwerkelijk alles in Frankrijk met de hand laat maken, maar bij veel andere luxemerken betaal je vooral de dure reclamecampagnes en het overdadige winkelinterieur. Maar dan nog: 1370 euro winst op een handtas vind ik niet te rechtvaardigen. Dit soort marges gelden echter ook voor brillen, parfums en andere 'exclusieve' accessoires. Drijf je de consument hiermee niet regelrecht in de armen van de nepsites? Zijn replica-artikelen niet gewoon hét antwoord op de kredietcrisis? Nee, zegt journaliste Dana Thomas. Want achter zo'n neptas schuilt echt leed. Kinderleed.

In haar boek beschrijft Thomas de misdaad achter de namaakbusiness. Het is een complete criminele industrie, die niet alleen Gucci-tassen maakt, maar ook nepbatterijen die in je gezicht ontploffen, namaak auto-onderdelen die voor ongelukken zorgen, babymelk die vergiftigd blijkt te zijn en nepmedicijnen die levens in gevaar brengen. Dit wist ik eerlijk gezegd allemaal niet. En ik schaam me ervoor, want iedereen heeft na een vakantie in Turkije wel iets van namaak in huis. Maar wat de meeste modebewuste vrouwen zich helemaal niet realiseren, is dat veel van die replica handtassen door kinderarbeid worden gemaakt. Dana Thomas was voor de research van haar boek bij diverse invallen aanwezig. In China ontdekte zij samen met de politie een groep vermoeide kinderen in een loods, die op oude naaimachines nep-Versace-handtassen in elkaar moesten zetten. Deze kinderen waren tussen de acht en veertien jaar oud. Ik kreeg ook de rillingen van Dana's verhaal over Thailand, waar bij een inval zes kindjes onder de tien jaar werden gevonden. Zij zaten in een rare houding op de grond imitatie designertassen te maken. Al snel bleek dat hun beentjes waren gebroken, omdat ze anders wegliepen.

In andere werkplaatsen bleken kinderen vastgeketend aan de naaimachines, slapend op de grond tussen de nagemaakte luxegoederen. Ik vond het verbijsterend om te lezen dat er nog duizenden van dit soort werkplaatsen zijn. Allemaal bevolkt door kansloze kinderen die tegen een hongerloontje moeten stikken en plakken en naaien, om aan de hebberigheid van de 'prijsbewuste' consument te kunnen voldoen. De *fake fashion* blijkt een keiharde wereld van mensenhandel, witwassen van drugsgeld, criminele syndicaten, kinderarbeid, slavernij en terrorisme. Ja echt, terrorisme. Want de miljoenenwinsten die hiermee worden gemaakt, verdwijnen niet zelden naar zeer schimmige groeperingen. Toen ik dit allemaal las, was ik meteen genezen. Ja, de modehuizen maken vaak absurde winsten op hun tassen. Maar de nepvariant kent een nog veel hogere prijs: het kind dat hem met gebroken beentjes in elkaar heeft moeten zetten.

Hondenjaren

Vorige maand las ik een interview met Jennifer Aniston waarin de actrice zei dat ze meestal voor romantische komedies wordt gevraagd, maar dat ze graag eens een rol in een actiefilm zou willen spelen. Bond-girl, dat leek haar wel wat – en niet in de laatste plaats omdat Daniel Craig zo'n lekker ding is. Gelijk heeft ze. Mijn drie minuten in de Bondfilm *Tomorrow Never Dies* vond ik al een fantastische belevenis, laat staan dat je een van de hoofdrollen zou mogen spelen naast de meest aantrekkelijke Bond ooit. Maar helaas zit dát er voor Aniston niet in, want haar terloopse suggestie werd overal weggehoond. En waarom? Vanwege haar leeftijd. 'Je bent veel te oud, Jen,' schamperde bijvoorbeeld Ab Zagt, filmrecensent van het *Algemeen Dagblad*. Kom op, Ab. De jeugdige, afgetrainde Aniston is net veertig geworden; ze staat niet met één been in de AOW. En daarbij: Daniel Graig is eenenveertig. Maar bij vrouwen schijnen de jaren toch anders te tellen dan bij mannen. Vrouwen lijken te verouderen in hondenjaren, dus maal zeven. Tenminste, dat is Sally Field overkomen. Deze actrice speelde de vriendin van Tom Hanks in de film *Punch Line*. Nog geen zes jaar later werd zij in *Forrest Gump* gecast als... zijn moeder. Toen ik hier onlangs mijn verbazing over uitsprak, opperde een mannelijke collega dat ik wellicht 'extra gevoelig' ben voor dit onderwerp omdat ik zelf net veertig ben geworden.

Extra gevoelig ben ik volgens mij niet, want ik lig geen seconde wakker van mijn leeftijd. Maar ik ben me wel extra bewust geworden van de neerbuigende manier waarop er over ouder wordende vrouwen wordt geschreven.

Als twintigjarige viel me dat gewoon niet op. Nu wel. Neem nou Madonna. Toen zij laatst een modecollectie voor H&M had ontworpen, vroegen sommige columnisten zich af of de vijftigjarige popster niet veel te oud was voor dat publiek. Dat Karl Lagerfeld (die de vorige collectie had gemaakt) eenenzeventig is, werd voor het gemak maar even vergeten. Helemaal bont werd het toen Madonna vorig jaar grote successen boekte met haar *Sticky and Sweet Tour*. In ieder land woedde namelijk dezelfde discussie: kán het nog wel, een vijftigjarige vrouw in stoeipakjes met netkousen? Een Amerikaanse recensent schreef zelfs dat hij er onpasselijk van was geworden, want 'de enige reden dat een vrouw van die leeftijd nog kronkelend over het podium hoort te gaan, is wanneer ze een epileptische aanval heeft'. Het lijkt wel of sommige mensen er moeite mee hebben dat een vrouw van vijftig nog zo fit, succesvol en uitdagend kan zijn. Dat heeft blijkbaar iets intimiderends. Want vrouwen horen hun plaats te kennen; moeten beseffen wanneer hun uiterste verkoopdatum is verstreken. Voor mannen ligt dat anders – kijk maar naar Prince. Die is dit jaar ook vijftig geworden en loopt nog steeds op hooggehakte laarzen aan zijn gitaar te likken. Steven Tyler van Aerosmith is inmiddels zestig. Ook hij rockt gewoon door met z'n shirt open tot aan zijn navel, skinny leggings en cowboylaarzen. En waarom ook niet? Maar bij Madonna heet zoiets *grannyporn*: omaporno.

Blijkbaar is de ene vijftiger de andere niet. Het zullen de hondenjaren wel zijn. Dat geldt waarschijnlijk ook voor het theaterstuk dat Waldemar Torenstra binnenkort gaat opvoeren. Daarin speelt hij volgens het persbericht 'een jonge vent die verliefd wordt op een oudere vrouw van veertig.' Even voor de goede orde: Torenstra zelf is zesendertig jaar. Is er dan helemaal niets veranderd sinds *The Graduate*, waarin Anne Bancroft (destijds zesendertig) de hitsige huisvrouw-op-leeftijd moest portretteren die de jonge student Dustin Hoffman (destijds dertig) probeerde te verleiden? Toch denk ik van wel. Vrouwen afrekenen op hun leeftijd is zó tweeduizend-nul. Ab Zagt zou als zelfbenoemd filmkenner moeten weten dat de sexy Halle Berry 'al' zesendertig jaar was toen zij haar rol als Bond-girl speelde in *Die Another Day*. Juist de nieuwe, realistische 007 zou gebaat zijn bij een nieuw, realistisch vrouwbeeld. En met fruitige veertigers als Uma Thurman, Julia Roberts, Jennifer Aniston, Demi Moore, Elizabeth Hurley en Nicole Kidman is er keuze genoeg. 'Ouder wordende vrouwen zijn als de macaronischotel van gisteren,' zei mijn eigen Richard laatst met zijn gebruikelijke gevoel voor poëzie. 'Het korstje is dan misschien niet meer zo knapperig, maar de smaak is er des te beter ingetrokken.'

Tulpen uit Istanbul

Mijn broer Clark is begin dit jaar getrouwd met zijn Turkse vriendin Hayat, en nadat wij op de bruiloft haar familie hadden leren kennen, werden Richard en ik uitgenodigd om naar Istanbul te komen. Afgelopen week was het zover. De familieleden van Hayat zijn hartstochtelijke voetbalfans, dus de derby tussen hun club Galatasaray en aartsrivaal Fenerbahçe was een prima gelegenheid om af te reizen naar de Bosporus. De gastvrijheid van de Turken heeft ons werkelijk overdonderd. Vanaf het moment dat we werden afgehaald van Atatürk Airport was echt alles voor ons geregeld: de hotelkamer, de restaurants, het vervoer, de toeristische uitstapjes en natuurlijk kaartjes voor de voetbalwedstrijd van het jaar. Daarnaast lagen er ook nog cadeautjes op onze kamer: Galatasaray-shirtjes, een sierlijke waterkaraf, een houten doos met een prachtige Turkse koffieset. En wat hadden wij bij ons? Tulpen. Nu wist ik wel dat de tulp oorspronkelijk helemaal niet uit Nederland komt, maar uit Turkije is meegenomen door handelsreizigers. Maar ja, dat was in 1612. Dacht ik.

Wat denk je? Heel Turkije staat vol met tulpen. Er is geen berm, geen perkje, geen rotonde, geen braakliggend stukje bouwgrond waar niet honderden tulpen staan te bloeien. Voor de deur voor ons hotel was er zelfs een tulpenfestival, met tentjes in de vorm van tulpen. Onze 'Hollandse' tulpen werd dan ook met een beleefde glimlach in ontvangst genomen. Alsof je frieten meeneemt naar België! Maar goed, het waren leerzame dagen. Niet in de laatste plaats omdat de familie van Hayat het een en ander was opgevallen toen ze voor de bruiloft in Amsterdam waren. Want ze vonden onze hoofdstad zo mooi en schoon. En er was zo weinig verkeer! Maar weet je wat hen nog het meeste had verbaasd? Dat er zoveel buitenlanders waren. Zij vonden dan ook dat de Nederlanders echt wat aan hun immigratiebeleid moesten doen. Want eigen cultuur ging vóór, die moest je niet laten verdringen. Je moest er juist trots op zijn! Daar was ik wel even stil van. Zoiets hoor je in Nederland niet eens te dénken. En Richard is zelf asielzoeker geweest, dus wie zijn wij om anderen te veel te vinden?

Maar de Turken zijn buitengewoon gastvrij én ze houden van hun land. Overal wappert de nationale vlag – iets wat in Nederland verboden is om 'zomaar' te doen. Ook apart: je ziet in het Europese deel van Istanbul nauwelijks vrouwen met hoofddoekjes. Blijkbaar bestaat er meer dan het stereotype beeld dat wij hier altijd krijgen voorgeschoteld. Hoewel Galatasaray-Fenerbahçe eindigde in een teleurstellende 0-0 was de broer van Hayat nog steeds lyrisch over zijn club. Voetbal in Turkije is meer dan sport; het zit veel dieper, het is een deel van hun identiteit. Dat zette me aan het denken over ónze identiteit. Wat is nu typisch Nederlands? Tulpen kunnen we doorstrepen. En volgens een folder van Anno (het promotiebureau voor de Nederlandse geschiedenis) is de rest ook niks. Want kroketten komen uit Frankrijk, de orgelman uit Duitsland, drop uit Egypte, aardappelen uit Zuid-Amerika en de molen uit China. En opeens wist ik het: die folder – dát is nou typisch Nederlands. De gedachte dat we 'vooral niet moeten denken dat we ook maar ergens trots op kunnen zijn'.

Vastklampen

Vandaag is de verjaardag van Boeddha. Deze dag zet niet alleen zijn geboorte in het zonnetje maar ook zijn verlichting en zijn dood. Hoewel ik mezelf geen fulltime boeddhist zou willen noemen, heb ik toch ongemerkt in bijna iedere kamer van mijn huis één of meerdere Boeddha's verzameld. De grootste staat in de tuin; een prachtexemplaar van lavasteen uit Thailand. Het is overigens een fabeltje dat je een Boeddhabeeld niet voor jezelf zou mogen kopen. Natuurlijk mag dat wel. Voor mij stralen de beelden rust en evenwicht uit, en dat heb ik graag om me heen. Op de verjaardag van Boeddha zijn er wereldwijd allerlei festiviteiten: in tempels en kloosters worden de beelden met veel eerbied gewassen, iets wat ik bij mij thuis samen met Emma en Alec ga doen. (Gelukkig zijn ze inmiddels oud genoeg om te beseffen dat 'wassen met eerbied' niet hetzelfde is als de hogedrukspuit op de lavasteen zetten.) Veel boeddhisten kleden zich vandaag in het wit en leggen bloemen bij de beelden.

In Azië worden lantaarns ontstoken, er zijn sierlijke parades met dansers en muzikanten, en de tempels serveren vegetarische maaltijden met zoete rijstmelk. Het is juist dit warme, aardse gevoel dat me zo aanspreekt in het boeddhisme. Én het feit dat je wordt aangespoord om zelf je weg te zoeken. Je hoeft niks te geloven of klakkeloos aan te nemen, maar wordt door de vier waarheden van Boeddha geïnspireerd om het zelf te ervaren, te onderzoeken en te doorgronden, om zo uiteindelijk je eigen verlichting te vinden. Die vier waarheden gaan als volgt: 1 – het leven is vol lijden, 2 – dat lijden ontstaat door vastklampen, 3 – lijden verdwijnt door los te laten en 4 – het loslaten kun je oefenen middels het achtvoudige pad. Deze acht handvatten (zoals bijvoorbeeld het juiste zeggen en het goede doen) mag je de rest van je leven proberen onder de knie te krijgen. Het boeddhisme is uiteraard veel omvangrijker dan deze korte samenvatting, maar dit is wat ik eruit heb gehaald.

Hier kan ik ook wat mee in mijn dagelijks leven, want loslaten – is dat niet precies waar moeders zoveel moeite mee hebben? Ik in ieder geval wel. Morgen is het alweer Moederdag. En hoewel Emma en Alec ongetwijfeld hun best zullen doen om mama te verwennen door elkaar eens niet te lijf te gaan, heb ik stiekem toch een beetje heimwee naar de cadeautjes die ik van ze kreeg toen ze nog kleuters waren. Zoals een leeg wc-rolletje met watten ('schaap') of een plank met coladoppen ('auto'). Want ze groeien zo snel. En het gaat zo hard. Wat heb ik destijds gemopperd over de spuitluiers en het projectielbraken. Maar toen ik was wel 'de lievste moeder van de heele weerolt'. Tegenwoordig instrueert mijn dochter me streng dat ik 'alsjeblieft een beetje normáál' moet doen als haar vriendinnen er zijn. Maar ondanks al die stoere puberpraat wil ze gelukkig nog steeds dat ik 's avonds even bij haar kom liggen om te knuffelen en te kletsen. Ik ben blij dat we dat voorlopig nog hebben. Is dat vastklampen? Voor mij niet. Eerder een weldaad van intimiteit. Een zucht van verlichting – zou dat ook boeddhistisch zijn?

Kontkijkers

Je horoscoop laten trekken, handlijnen lezen of tarotkaarten leggen? Allemaal zo tweeduizend-nul. Wie iets over de toekomst wil weten, laat zich vanaf nu in de kont kijken. Want *rumpology*, dat is het helemaal. Net als een iriscopist allerlei kwalen uit je ogen kan afleiden, zo kan een rumpologist je karakter én je toekomst ontleden naar aanleiding van de putten en de pukkels op je billen. Nou, dat geeft meteen een heel andere betekenis aan de term sterrenkijker. Het fenomeen komt uit Engeland, waar 's wereld eerste derrièrist Sam Amos een bloeiende praktijk heeft weten op te bouwen. Inmiddels is er in Duitsland ook al een succesvolle kontkijker aan het werk. De blinde helderziende Ulf Buck schijnt je namelijk feilloos de toekomst te kunnen voorspellen door je billen te betasten. Toen kon Amerika natuurlijk niet achterblijven. En ziedaar: Jacqueline Stallone (inderdaad, de moeder van) heeft zich na een lange carrière als astroloog omgeschoold tot retoloog. Je kunt haar een foto van je ontblote achterwerk sturen, waarna zij het voor 125 dollar tot op de naad zal ontleden.

Maar wat krijg je dan zoal voor bipstips? Welnu: je linkerbil symboliseert het verleden, en je rechterbil staat voor de toekomst. Het heden ligt dan waarschijnlijk precies in het midden. Een ronde kont geeft aan dat de eigenaar een open persoonlijkheid heeft, gelukkig is en goed in zijn vel steekt. Een vierkant achterwerk hoort bij iemand die zijn werk op de eerste plaats zet. (Een *vierkant* achterwerk? Vanwege de bureaustoel of zo?) Appelvormige billetjes zijn charismatisch en creatief terwijl een peervormig zitvlak staat voor geduld en betrouwbaarheid. Een gespierde toges is dynamisch en zelfverzekerd, maar de platte kont is ijdel, negatief en verdrietig. Dit laatste inspireerde een aantal Engelse vrouwenbladen om juichend te schrijven dat hun lezeressen dus vooral niet moesten afvallen, want een ronde kont was een blije kont – iets wat veel mannen zullen beamen. Het is algemeen bekend dat mannen liever méér dan minder billen willen: een platte kont, daar is geen reet aan.

Zelf kijk ik ook liever naar een gespierd kontje. Volgens biologen komt dat omdat vrouwen nieuwsgierig zijn naar de stootkracht van een man; een papperige sponskont belooft nu eenmaal weinig dynamiek. Dus heren – weg met die laaghangende spijkerbroek, want vrouwen doen graag vergelijkend warenonderzoek. Voor dit soort inzichten hoef je volgens mij geen gediplomeerd kontkijker te zijn. Dat geldt echter wel voor het bepalen van de toekomst. Want hoe doe je dat eigenlijk? Vertelt mijn rechterbil daadwerkelijk een ander verhaal dan mijn linkerbil? Tijd voor de naakte waarheid. Terwijl Richard nietsvermoedend tv zat te kijken, liet ik in de woonkamer mijn broek zakken. 'Tja, eh...' zei hij na een diepgravende inspectie à la Ulf Buck, 'je linkerbil is iets groter dan je rechter.' Wat? Nou dat weer. Mijn hele linkerkant is iets groter dan mijn rechter; zo heb ik een groter linkeroog en een groter linkeroor. Maar nu dus ook een grotere linkerbil? Dat belooft vast niks goeds mijn toekomst. Misschien moet ik toch eens op een kopieerapparaat gaan zitten en mijn derrière naar ma Stallone mailen. Maar waarom is er in Nederland eigenlijk nog geen retoloog? Wij kunnen tenslotte als geen ander een koe in de kont kijken.

Vouwers en proppers

Onlangs werden er in dertien landen, waaronder Nederland, ruim tienduizend mannen en vrouwen ondervraagd over mannelijke schoonheid. Uit dit onderzoek kwam naar voren dat de Nederlandse man onzeker is over zijn aantrekkingskracht: 70% vond zichzelf niet sexy. Wat krijgen we nou? Ik vind de Nederlandse man wel sexy! Het is geen Italiaans haantje, luidruchtige Amerikaan, potige Rus of gladde Braziliaan – wat de top-4 van knappe nationaliteiten schijnt te zijn. Maar ik vind de Nederlandse man wél lief, eerlijk, geëmancipeerd en zorgzaam. En fit, want hij blijkt gemiddeld 22 minuten en 42 seconden te klokken voor een vrijpartij, en staat daarmee op de tweede plaats, na de Mexicaan met 23,17 minuten. Waar met name de Italianen nogal eens door de mand vallen ('grote etalage, klein winkeltje') blijkt de Nederlandse man over verrassend veel erotisch uithoudingsvermogen te beschikken. Maar waarom voelt hij zich dan niet sexy?

Misschien komt dat door onze nationale houding van 'doe maar gewoon'. Mediterrane mannen zijn van nature *suave* en gooien alles in de strijd om een vrouw te versieren. Nederlandse mannen zijn vaak nogal stuntelig bij het verleiden; het lijkt of zij zich schamen om complimentjes te geven. Terwijl een Amerikaan alsmaar veren in je reet steekt, grijpt de Nederlandse man vaak terug op een lollig bedoelde openingszin: 'Jij hebt een opening en ik heb zin!' En misschien zouden onze landgenoten ook eens kunnen letten op hun non-verbale communicatie. Vorige week stond er namelijk in de krant dat de manier waarop een man zijn drinken vasthoudt, veel zegt over zijn persoonlijkheid. Stoere kerels bleken bijvoorbeeld graag te drinken uit het flesje. Dat kan inderdaad best sexy staan, maar als je niet de indruk wilt wekken dat je bij de Jellinek loopt, zou ik dat beperken tot bij een zomerse barbecue. En een playboy mag dan geregeld 'met de handen over de flessenhals glijden als ware het een penis' – op mij zou dat overkomen alsof je een ernstige zenuwtic had. Gelukkig kan een man op meer plaatsen zijn persoonlijkheid etaleren. In zijn toilet bijvoorbeeld.

Uit weer een ander onderzoek is namelijk gebleken dat mensen die hun wc-rol dusdanig ophangen dat het nieuwe velletje aan de voorkant hangt, veel avontuurlijker in het leven staan dan mensen bij wie het nieuwe velletje aan de achterkant hangt. (Voorhanger of achterhanger – iedere verstandige vrouw dient een man met kringloop-wc-papier te vermijden. Dat gaat schuren.) Er schijnt ook nog een verschil te zijn tussen de vouwers en de proppers. Mensen die hun toiletpapier enkele malen vouwen, blijken netjes en geordend van karakter. Maar mensen die er een dikke prop van maken, zijn creatief en speels en overal voor in. Omdat je een nieuwe date natuurlijk niet zo snel meekrijgt naar het toilet om haar te overtuigen van je mannelijkheid, wil ik tot slot nog wijzen op de meest eenvoudige manier om aantrekkelijker te lijken: verander je haarscheiding van rechts naar links. Uit talloze proeven is namelijk naar voren gekomen dat een man met een linkerscheiding veel knapper, daadkrachtiger en succesvoller wordt gevonden dan dezelfde man met een rechterscheiding. Waarom dat zo is? Geen idee. Maar profiteer ervan! In die 22 minuten en 42 seconden gaat het toch weer door de war.

Vlammend rood

'Als je twijfelt, draag dan rood,' zei modeontwerper Bill Blass. En hij had gelijk. Rood doet iets met je – en met de mensen om je heen. Voor mijn veertigste verjaardag had Richard een surpriseparty georganiseerd waarbij hij met de pet was rondgegaan; van de opbrengst mocht ik bij Mart Visser een couturejurk laten maken. In zijn salon heb ik alle rollen met de mooiste tinten zijde voorgehouden gekregen, maar van één kleur was iedereen meteen verrukt: het rood. Nu had ik sowieso al een voorliefde voor rode avondjurken; je voelt je er niet alleen zelfverzekerder in, maar mensen reageren ook anders op je. Zo heb ik twee identieke jurkjes, een rode en een zwarte, maar bij de rode scoor ik meer complimenten, meer drankjes én meer taxi's. Het verbaasde mij dan ook niet dat onlangs uit een onderzoek is gebleken dat mannen foto's van vrouwen die iets roods droegen als aantrekkelijker beoordeelden dan foto's van dezelfde vrouwen in een blauw truitje. Zelfs een rood lijstje om de foto's had al een positief effect – de kleur werkt bij mannen dus letterlijk als een rode lap op een stier. Maar waarom? Daar zijn de meningen over verdeeld.

Bij bonobo's en chimpansees, die qua DNA het dichtst bij ons staan, kleurt het onderlichaam van de vrouwtjes bloedrood wanneer ze in hun vruchtbare periode zijn. Misschien ligt dit gegeven bij mannen nog steeds diep opgeslagen in hun brein, ergens tussen het scheten laten op de bank (geurspoor uitzetten in zijn habitat) en het neuspeuteren (extra vitamines zijn altijd welkom). Het is ook geen toeval dat rode lampen overal ter wereld een link hebben met prostitutie, en dat rode lippen al 10.000 jaar populair zijn vanwege de gelijkenis met de opgewonden staat van schaamlippen. Maar andere onderzoekers zeggen weer dat rood weliswaar een seksuele component heeft maar dat de kleur ook staat voor agressie, bloed, vuur en dominantie. In 1859 was er bij het Italiaanse dorpje

Magenta een enorm gevecht tussen Oostenrijkse en Frans-Italiaanse troepen, waarbij het slagveld werd doordrenkt in het bloed. Kort daarna werd in Engeland een nieuwe, donkerrode kleurstof op de markt gebracht onder de naam magenta. Zoiets zou nu ondenkbaar zijn; stel je voor dat een bedrijf 'Abu Ghraib-oranje' zou lanceren. Maar de komst van chemische kleurstoffen zoals magenta leidde wel tot een revolutie, want de kleur rood was tot dan toe vanwege het dure productieproces voorbehouden aan de rijke elite – iets waar de rode loper ons nog altijd aan herinnert. Toch wordt rood ook nu nog van karmijnzuur gemaakt, en dat wordt weer gewonnen uit Zuid-Amerikaanse schildluizen. Rode M&M's en allerlei ander snoepgoed wordt hiermee gekleurd, onder het anonieme kleurnummer E120.

Ik hoop niet dat er voor mijn avondjurk veel schildluizen zijn vermorzeld maar het resultaat is wel adembenemend. Mart Visser vroeg wanneer ik de jurk 'in première zou laten gaan' want voor zo'n vlammend rode creatie moet je natuurlijk wel een bijzonder moment kiezen. Ik denk dat ik hem bewaar voor het presenteren van de finale van de nieuwe reeks van *Holland's Next Top Model*, die we aan het einde van de zomer weer gaan opnemen. Maar misschien is een van de finalisten wel zo uitgekookt om dan zelf een rode jurk te dragen, want uit een onderzoek is gebleken dat sporters die in een rood tenue spelen, vaker winnen dan sporters in een andere kleur. Dit zou echter ook aan de arbitrage kunnen liggen, want er is eveneens gebleken dat scheidsrechters bij taekwondo deelnemers in een rood hesje 13% meer punten geven dan deelnemers in een blauw hesje. Nu ik eenmaal weet wat de kleur rood onbewust met mensen doet, maak ik er stiekem weleens gebruik van. Toen mijn dochter laatst een spreekbeurt moest geven, heb ik haar in een rood t-shirtje gehesen. Als Richard een belangrijke presentatie heeft, adviseer ik een rode stropdas. In mijn tuin heb ik veel rode bloemen geplant want dat wordt als warmer, gezelliger en aardser ervaren dan welke andere kleur ook. En heb je liever aandacht voor de kuiltjes in je wangen dan voor de putjes in je kont? Koop deze zomer dan een rode bikini. Succes verzekerd. Want rood is op alle fronten verleidelijk. Met als enige uitzondering rood staan – dát wil maar niet sexy worden.

Scherp schieten

Vorig jaar had ik in de meivakantie een nummer van het Engelse mannenblad GQ gekocht voor de prachtige fotoreportage van Cameron Diaz. Maar nog interessanter dan Camerons fitnessschema bleek het blad zelf: het bood een leerzaam kijkje in de psyche van de moderne man. Ik heb er destijds een hele column aan gewijd, waarbij één vraag uit de probleemrubriek me nog het meest is bijgebleven: welke seksspeeltjes kon je het beste meenemen op vakantie zonder gênante momenten bij de douane? Antwoord: met de fruitschaal op je hotelkamer kun je ook leuke dingen doen. Onbetaalbaar advies. Dus dit jaar heb ik ter lering ende vermaak wederom zo'n tijdschrift gekocht. En het stelde niet teleur. Mijn favoriete quote van deze editie: 'Voorspel is als een hamburger: drie minuten aan elke kant.' Wat ik overigens wél teleurstellend vond, waren de mannelijke modellen in het blad. Waar zijn de echte kerels gebleven? Het was allemaal type 'natte kers' of niet ouder dan zeventien met ongekamd haar en een kippenborst. Zo bezien lijden ook mannen onder een onhaalbaar schoonheidsideaal.

Verder is het best leuk om een man te zijn – ze zijn met zulke andere dingen bezig. In vrouwenbladen vind je nuttige informatie over welke mascara je moet kopen: wil je een vibrerend steeltje, een telescopisch borsteltje, een volumineus effect of juist een gepatenteerd precisiekammetje? Handig. GQ daarentegen adviseert de heren welke luchtbuks ze moeten kopen: de BSA Lightning XL (mannen zijn dol op XL) of de Essential 4-12x44AO? En dan nog de kogeltjes. Je kunt kiezen uit Elite-hagel, waarmee je makkelijker raak schiet, of een doosje Interceptor voor meer killing power. Geen makkelijke keuze. Net als lingeriesetjes kopen; hoe doe je dat eigenlijk? Het blad levert daarvoor drie kleurentabellen, passend bij bruin, rood en blond haar. Leuk bedacht, maar mag ik wat zeggen? Geef je vrouw gewoon een cadeaubon van La Perla. Want lingerie kopen is een mijnenveld. Je kunt een te grote bh kopen ('Is dit soms een hint?') of nog erger: een te groot broekje ('Heb ik zo'n dikke batterij?'). Je kunt het te sexy maken ('Een kruisloos slipje?') of juist te braaf ('Beertje Paddington?!').

Vrouwen zijn nu eenmaal onzeker over hun edele delen – maar mannen ook. Want GQ wijdt twee hele pagina's aan de opkomst en ondergang van de penis. Bij twintigers is de penis nog 'een jonge hond die van de lijn is gelaten,' maar bij dertigers zet de neergaande lijn al in: warme laptops leggen het zaad lam en werkstress vermindert de productie. Veertigers wordt geadviseerd geen boxershorts meer te dragen, want daar krijg je later hangnoten van. Door het brave gezinsleven en het uitgekeken raken op moeder-de-vrouw is veertig dé leeftijd voor een affaire met de secretaresse. Vijftigers krijgen steeds minder schaamhaar en hun prostaat kan vergroten ('Maar je bankrekening ook,' voegt GQ daar monter aan toe) en mocht de buik gaan hangen, dan kan de penis op een champignon gaan lijken. Tegen de zestig gaan bij mannen niet alleen de borsten hangen maar ook de kroonjuwelen, maar dankzij viagra en penispompen blijft de zaak toch nog overeind. Ach gossie. Opeens begrijp ik waarom mannen zo van luchtbuksen houden. Schieten ze toch nog een beetje met scherp.

Tanden bleken

Ik heb mijn tanden laten bleken. Waren die zo geel dan? Dat nou ook weer niet. Maar sinds mijn beugel er enige tijd geleden uit was gegaan, wilde ik mijn tanden best twee tintjes opfrissen. Ik wilde echter niet dat überwitte *glow in the dark*-effect. Tanden zijn van ivoor en horen een beetje geelwit te zijn. Sommige mensen laten hun gebit dusdanig bleken dat het matcht met hun badkamersanitair. Ik vind het dan ook frappant dat veel whitening-bedrijven adverteren met 'natuurlijke, parelwitte tanden'. In een tijd waarin bruinbrood niet zelden geverfd witbrood blijkt te zijn, wordt het steeds moeilijker om te bepalen wat nog natuurlijk is. Maar sneeuwwitte tanden zijn het in ieder geval níét. Dat neemt niet weg dat het vanaf een bepaalde leeftijd mooi kan zijn om je gebit een paar tintjes lichter te maken. En dat heb ik nu dus gedaan.

Gewoon bij mijn eigen tandarts, want die kent mijn gebit. Eerst heeft hij trouwens een vullinkje vervangen, want vullingen en eventuele facings en kronen blijken niet mee te bleken. Dat wist ik niet, net zomin als ik wist dat je tandkleur genetisch wordt bepaald door de kleur en de dikte van je tandbeen. Alleen je melkgebit is nog stralend wit; je volwassen tanden zullen altijd wat geler zijn. Hoektanden bevatten meer tandbeen, waardoor die ook wat donkerder zullen ogen. Maar heel wat mensen dragen zelf aan de bruinige aanslag op hun tanden bij door te roken, veel koffie te drinken of niet goed te poetsen. Eigenlijk is het precies zoals mijn oma vroeger zei: als je lief bent voor je tanden, worden ze later niet vals. Desondanks kleuren ze bij het ouder worden iets geler omdat je tandbeen dikker wordt. (Waarom werkt dat toch altijd zo? Je haar, je huid, je lippen – alles wordt dunner. Maar je tandbeen – dát wordt natuurlijk weer dikker.)

En daar zat ik dan, in de tandartsstoel, met een soort bekstretcher in mijn mond en een beschermend harslaagje op mijn tandvlees, onder een warme lamp en met een speciale bril op. Heel natuurlijk allemaal. Toch viel de ingreep me alles mee, tót ik het foldertje kreeg: achtenveertig uur geen koffie, thee, donker gekleurde frisdranken, rookwaren, drop, rode wijn, rode sauzen, mosterd, ketchup, ketjap, kortom: 'Alle producten die vlekken maken op een wit overhemd'. En o ja: vooral geen gingerale en mangosap, want daar kleurden de pas behandelde tanden zwart van. Tot ziens! Daar stond ik, op vrijdagavond, met een dinertje en een BBQ in de planning. Wat maakt er nou geen vlekken op een wit overhemd? Ik had me totaal niet gerealiseerd dat je tanden door het bleken achtenveertig uur 'open' staan en je dus voorzichtig moet zijn met wat je eet. En zo stond ik afgelopen weekend op een onvrijwillig wit dieet van water en brood, met wat rijst, mozzarella, melk, asperges, vis en bloemkool. Terwijl iedereen op de BBQ genoot van de gele tortillachips, de groene guacamole, de rode ketchup en de bruine chocomousse, stond ik te mutsen met droge asperges. 'Je kunt tegenwoordig ook je anus bleken,' zei iemand. Eh... wat? Ik sla even over. Stel je voor wat je dán allemaal niet mag eten.

Likken, bijten en zuigen

Ben jij een likker, een bijter of een zuiger? Even voor de goede orde: ik heb het hier over het eten van ijs. Uit een onderzoek is gebleken dat mensen dit op drie manieren doen. Maar hoe je het ook doet – bijna alle mannen (maar liefst 97%) blijken het sexy te vinden om te kijken naar een vrouw die een ijsje eet. De beweging van de tong en de lippen langs het ijs doet hun gedachten al snel afdwalen naar lagergelegen regionen. Wat een verrassing. Stop een kroket in je mond en mannen beginnen al over hun eigen warme vleesvulling te fantaseren. Het zal dan ook niemand verbazen dat de heren het liefst likkers en zuigers aan het werk zien. Daar gaan de vingers blijkbaar van jeuken, want 35% van de mannen zou de vrouw van hun dromen graag insmeren met ijs en dan aflikken. Ja, ja. Moet je op vakantie eens aan je man vragen of hij je wil insmeren met zonnebrandcrème. Dat gaat met een hoop gezucht en gesteun gepaard. Roomijs met een hoge beschermingsfactor – zou dat geen goed idee zijn?

Maar natuurlijk hebben niet alleen mannen vunzige bijgedachten. Ook vrouwen kunnen er wat van, want ruim 75% van de ondervraagde dames zei eveneens geprikkeld te raken van een man die een ijsje eet. Vrouwen vinden bijters lekker gretig en verwachten van zuigers dat ze goed kunnen tongzoenen. De associatie van ijs met erotiek is overigens niet typisch iets voor onze huidige, overgeseksualiseerde samenleving. Het eten van ijs werd in de victoriaanse tijd zo verleidelijk gevonden dat vrouwen in het openbaar niet aan een ijsje mochten likken. Je hoorde de lekkernij mee naar huis te nemen, om het daar in alle zedigheid op te eten. Roomijs werd destijds in kleine glazen bakjes geserveerd die je voor één penny leeg mocht likken: de *pennylicks*. Om hygiënische redenen en uit kostenbesparing werd uiteindelijk een eetbaar bakje bedacht dat van een wafel was gemaakt. De tweede grote doorbraak was het waterijs op een stokje. De ontdekking daarvan verliep verrassend simpel: de twaalf-jarige Frank Epperson had per ongeluk een glaasje ranja met een lepel erin 's nachts buiten laten staan.

In 1924 vroeg hij met succes patent aan op zijn 'uitvinding', die van ijs definitief een massaproduct zou maken. Ik denk niet dat de brave Epperson had durven dromen dat een grote ijsfabrikant anno 2009 aan duizend vrouwen zou vragen welke mannelijke beroemdheid zij het liefst 'op een stokje' zouden zien. Dat bleek Daniel Craig te zijn. Daar ben ik het uiteraard helemaal mee eens, want de James Bond-ster is natuurlijk de ultieme Mr. Cool. Het waterijsje heet *License to Chill* en heeft de vorm van het ontblote, gespierde bovenlichaam van 007. Likken, bijten of zuigen – ik zou niet weten waar ik moest beginnen. Nu nog een Clive Owen Cornetto (met noten!) en ik ben de hele zomer zoet. Toen ik dit laatst tegen een collega vertelde, keek ze me een beetje verwijtend aan. Of ik soms geen fan was van de Krajicek Calippo? Natuurlijk, dat is mijn favoriete smaak. Maar die heb ik thuis al. En je weet wat ze zeggen: verandering van ijs doet eten.

Emma's kamer

Ik doe Emma's slaapkamer open. Tussen alle bouwmaterialen kan ik met mijn zwangere buik nergens zitten, maar in mijn gedachten zie ik de hele babykamer al staan. Ja, de meubels weet ik wel te plaatsen. Maar het feit dat ik voor het eerst moeder ga worden nog niet. Ik kan geen plant in leven houden. Ik was als kind geen poppenmoeder, heb zelfs nooit gebabysit. Maar Richard zegt dat het vast vanzelf zal gaan. Dat ik het los moet laten, al die onzekerheid.

Ik doe Emma's slaapkamer open. De letters E-M-M-A prijken in vrolijke kleuren op haar deur. De muren zijn lichtgeel en er hangen blauwe gordijntjes. Iedere avond moet ik even naast Emma blijven zitten, haar kleine handje in de mijne. Terwijl ze in slaap valt, wordt haar knuistje steeds slapper, totdat ze uiteindelijk alleen nog maar mijn wijsvinger vastheeft. Moeder zijn gaat inderdaad vanzelf. Het is alsof mijn hart uit mijn lichaam is gehaald, en er armpjes en beentjes aan vast zijn gemaakt.

Ik doe Emma's slaapkamer open. Er hangen posters van *Kikker*, *Muis* en de *Teletubbies*. Emma staat rechtop in bed, te stuiteren van plezier wanneer ze mij ziet. Is er ooit iemand zó blij om je te zien als een dreumes? 'Heppe verruf!' zegt ze trots. En dan zie ik dat ze met poep uit haar luier strepen op het behang heeft getekend. Ik moet lachen. Want het blijkt zo wáár: zelfs als ze met poep in de weer gaan, vind je het nog kunst.

Ik doe Emma's slaapkamer open. Ze is ongelooflijk trots op haar kroontjesbed. Richard en ik hebben dat aan haar weten te slijten als een 'grotemeisjesbed' omdat zij haar eigen, vertrouwde bedje aan haar nieuwe broertje Alec heeft moeten afstaan. *Muis* gaat van de muur en er komen Disney-prinsessen voor in de plaats. Weg zijn de rompertjes. Er liggen nu prinsessenjurken, plastic tiara's en veren slippertjes.

Ik doe Emma's slaapkamer open. Schaterend van de lach klimt

ze boven op haar roze hoogslaper. Het gevaarte heeft roze kussens, roze gordijnen en een roze tentdak. Er komen posters van *Winx*, dekbedovertrekken van *Totally Spies* en kussens van K3. Ze wil niets liever dan met me spelen, mij betrekken in al haar spannende verhalen. Er zit tenslotte ook een Daphne in *Winx*, dus die mag ik dan zijn. Ik ben de 'lievste mama van de heele weerolt.' Deze magische periode lijkt eeuwig te duren.

Ik doe Emma's slaapkamer open. De letters E-M-M-A zijn van haar deur verdwenen. Te kinderachtig. Ook de meiden van *Totally Spies* zijn gesneuveld. Het is nu *High School Musical*, *Hannah Montana*, The Jonas Brothers. En die roze hoogslaper – kan die niet weg? Er staat een bureau met een computer. En er hangt een briefje op de deur: Eerst Kloppen.

Ik doe Emma's slaapkamer open. Ze is jarig geweest, en mocht een nieuw kleurtje op de muren. Ze heeft alles paars geverfd. Er staat nu een twijfelaar, met een wit dekbedovertrek. Ze schrijft in een dagboek waar een slot op zit. Kijkt verstoord op als ik binnenkom. Hoe moet dat, moeder zijn van een puber? Richard zegt dat het vast vanzelf zal gaan. Dat ik het los moet laten, al die onzekerheid.

Tegenstrijdige signalen

In de vakantie lees ik altijd stapels tijdschriften. Dat varieert van verstand-op-nulglossy's en buitenlandse modebladen tot de wat minder oppervlakkige en spirituele tijdschriften. Eigenlijk lees ik gewoon alles wat los en vastzit. Maar juist omdat ik het allemáál lees, ben ik nu een beetje in verwarring. De meeste bladen geven namelijk behoorlijk tegenstrijdige signalen af. Dat geldt trouwens niet alleen voor de bladen; tegenstrijdigheid lijkt wel een moderne mediaziekte. Neem nou die Albert Verlinde-'stunt' van BNN. Ze willen een *point* maken over privacy en doen dat... door iemand af te luisteren? Klinkt als anti-abortusactivisten die iemand doodschieten omdat ze 'pro-life' zijn. Ik heb me ook verbaasd over de *Marie-Claire*, een beautyblad met inhoud dat uitblinkt in reportages over inspirerende vrouwen. In een artikel over het voorkomen van stress en ziekte, las ik dat 'het maken van overuren net zo slecht is voor je hersenen als roken'. Prima statement. Maar wat zie ik vervolgens op de cover? Een tienermodel met een sigaret! Wie het begrijpt mag het zeggen.

Happinez had deze maand een artikel over het nieuwe lespakket van Dove, waarin scholieren leren dat het schoonheidsideaal zoals dit door de media wordt gepresenteerd, niet klopt. Tieners worden onzeker van al die slanke modellen, en het pakket van Dove wil ze een steuntje in de rug geven. Dat lijkt *Happinez* een goed idee – en mij ook. Maar vervolgens blader ik verder, en zie de fotoreportage Puur Natuur. Daarin figureert een zeer slank model met mooie borsten, een rimpelloze huid en een strakke rug. Het zijn prachtige, serene foto's. Maar zou een spiritueel blad als *Happinez* niet het voortouw kunnen nemen door 'echte' vrouwen te gebruiken? Zo simpel is het blijkbaar niet.

Maar niet alleen op uiterlijk gebied krijgt de lezer tegenstrijdige signalen. Neem nou al die artikelen over de sexy single. Het is léúk om single te zijn, schrijven de vrouwenbladen. Voel vooral geen druk, leef je eigen leven en geniet met volle teugen! Klinkt heerlijk, toch? Maar dan sla je de pagina om en buitelen diezelfde bladen over elkaar heen om Jennifer Aniston voor zielenpoot uit te maken: *poor Jen* kan maar geen man vinden.

Maar zij is toch juist het schoolvoorbeeld van zo'n sexy single? Ik zal het wel weer verkeerd begrepen hebben. En zo gaat dat maar door. Artikelen over exotische reisbestemmingen worden afgewisseld met doemverhalen over hoe onverantwoord al dat vliegen is. Op de ene pagina wordt met opgeheven vinger onderwezen dat je je kleding vooral moet recyclen, en op de andere pagina wordt een actrice afgezeken omdat ze het waagt om twee keer dezelfde jurk te dragen. En toen zag ik *Dokter Jazz*, de nieuwe roman van filosofe Stine Jensen. Mevrouw Jensen is een bevlogen tegenstandster van het schoonheidsideaal, van blote billboards en de seksualisering van de vrouw in de media. Daar is heel wat voor te zeggen. Maar wat zette zij vervolgens op de cover van haar eigen roman? Een bloot onderlichaam met een ultraplatte buik in een dun wit slipje. Ik begrijp dat dat beter verkoopt, en dat Jensen zal zeggen dat het heus de inhoud ondersteunt. Maar in deze 'tijd voor echte schoonheid' is het ook tijd voor echte principes.

Groeien

Ik moet zo snel mogelijk een eigen groentetuin gaan beginnen. Het is helemaal het nu-ding om te doen. Michelle Obama heeft na de inauguratie meteen een deel van het gazon van het Witte Huis omgespit tot een biologische groentetuin. Schoolkinderen uit achterstandswijken leren daar nu hun eigen sla en peultjes te verbouwen. Na het bezoek van de Obama's aan Buckingham Palace kon Koningin Elizabeth niet achterblijven: ook zij veranderde een deel van haar paleistuin in een onbespoten groenteparadijs. Hoewel ik vermoed dat beide dames niet vaak zélf de schoffel ter hand zullen nemen, gaat het hier om het idee. Voor wie het gemist heeft: we moeten terug naar de natuur. Naar het pure eten, de volle smaken, de seizoensgroenten en de herwaardering van authentieke vormen. De Europese Unie heeft onlangs het voortouw genomen en de 'schoonheidseisen' voor zesentwintig verschillende soorten groente en fruit afgeschaft. Helaas blieft de verwende consument geen puisterige peren of wortels met wratten, dus de supermarkten staan nog niet te springen om het in te kopen. Maar lelijke groenten smaken net zo goed; misschien zelfs wel beter dan al dat opgeblazen überfruit. Voor fruit geldt eigenlijk hetzelfde als voor siliconenborsten: iets wat artificieel is opgepompt, is lang niet altijd lekkerder. We moeten dus terug naar de kromme komkommer – en nergens kun je de natuur beter haar gang laten gaan dan in je eigen groentetuin.

Dus wat houdt me tegen? Mijn jeugd. Want ik kan geen groentetuin meer *zien*. Nadat mijn ouders van de stad naar het platteland waren verhuisd, wilden zij natuurlijk ook eigen groenten gaan verbouwen. Dat paste helemaal in de romantische waanvoorstelling die 'stadsen' hebben van het boerenleven. Mijn broer en ik – twee hoogst onwillige pubers – werden vervolgens iedere dag ingezet om te wieden en te bewateren. Samen zaaien en oogsten, lekker therapeutisch wroeten in de aarde, het was allemaal zo puur, zo eerlijk en zo vers. Ja, ja. Inmiddels weet ik dat onbespoten bloemkool vol met witte wormpjes zit. Dat alle kroppen sla tegelijk rijp zijn, maar dat je ze niet allemaal tegelijk kunt eten. Dat je een hele emmer vol spinazieblaadjes nodig hebt voor vier personen. En wil je eigen erwtjes eten? Hartstikke lekker, maar bedenk wel dat er maar vier erwten in iedere boon zitten, dus reken maar uit hoeveel je er moet doppen voor een fatsoenlijke portie. Ik heb ook geleerd dat je sterappelen groen moet plukken, buiten in de zon op stro moet leggen en dan iedere dag moet draaien zodat ze overal rood worden. Mochten ze natregenen, dan kun je ze alleen nog maar aan de schapen geven. Die schapen braken trouwens geregeld door de omheining en vraten dan de groentetuin leeg. Het telen van fruit bleek een constante strijd tussen de familie Deckers en de vogels. Meestal wonnen de vogels.

Als humeurige tiener had ik het zó gehad met die arbeidsintensieve ecotuin, dat ik niet registreerde dat alles veel beter smaakte. Vooral de aardappelen, de aardbeien en de tomaten waren ongehoord lekker. Maar dat besefte ik pas veel later, na het eten van smakeloze *Wasserbomben* en andere massagroenten. Ook zie ik nu pas wat een groene vingers mijn moeder eigenlijk had; iets wat wij destijds totaal niet op waarde wisten te schatten. Zo was mijn moeder hele dagen bezig met het plukken van pruimen, om ze vervolgens te ontpitten, te koken en te wecken. Zodat mijn broer en ik daarna konden verzuchten: 'Gadver, alweer pruimenjam!' Mede door dit soort puberaal verzet is de groentetuin uiteindelijk verdwenen. Mijn moeder bleef alleen tomaten kweken – en die zijn nog steeds de lekkerste van Nederland. Ik vond het dan ook leuk om te lezen dat uit een onderzoek van de Engelse Royal Horticultural Society is gebleken dat een tomatenplant het hardste groeit wanneer hij wordt toegesproken door een vrouw. Opeens dacht ik: misschien kan ik mijn eigen puberdochter wél enthousiasmeren om samen met mij een groentetuin te beginnen. En dus hield ik een gloedvol betoog over de pure schoonheid van knoestige komkommers, de volle smaak van zelfgekweekte aardbeien en het zen-gehalte van schoffelen. 'Dat Engelse onderzoek kan wel kloppen,' verzuchtte Emma ten slotte. 'Als jij veel praat, gaat bij mij de irritatie ook heel hard groeien.'

Nomofobia

Ik reed laatst op de snelweg toen ik me realiseerde dat ik mijn mobiele telefoon thuis had laten liggen. Hoewel ik wist dat ik dan te laat op mijn vergadering zou komen, heb ik serieus overwogen om het ding alsnog te gaan halen. Want een hele dag zonder gsm, daar word ik zenuwachtig van. Portemonnee, sleutels, tampons – er zijn wel meer dingen die ik niet wil vergeten. Maar zonder mobieltje voel ik me niet compleet; het lijkt wel een vijfde ledemaat. De hele dag worstelde ik met een geamputeerd gevoel, compleet met fantoomgerinkel – ik dacht dat ik hem hoorde bellen. Op de weg naar huis vroeg ik me af waarom ik nu eigenlijk zo onrustig word zonder gsm. Zó lang bestaat dat ding nog niet eens. Het grootste gedeelte van mijn leven had ik er geen, waarom kan ik dan nu niet meer zonder? Toen Richard en ik elkaar leerden kennen, zat hij midden in zijn tenniscarrière en vloog ik de wereld over als presentator van een reisprogramma. Wij hadden geen laptop en geen mobiele telefoon, en toch wisten we elkaar tot in de verste uithoeken van de globe te bereiken.

Hoe dan, vragen onze twee kinderen zich nu verbijsterd af. Gewoon, met faxen en bellen vanaf de hotelkamer. Wat – geen *Skype*, MSN, Twitter, Hyves, Facebook? Eh, nee. Misschien klink ik nu als het *Polygoon Journaal,* maar ik weet nog dat het antwoordapparaat werd uitgevonden. Ook dat is helemaal niet zo lang geleden, al voelt het bijna antiek. Toen ik ging studeren, was er een ouderejaars die vol trots de eerste draagbare telefoon bij zich droeg: een soort jerrycan met een enorme antenne. In de loop der jaren heb ik de mobiele telefoon zien verkleinen van een melkpak naar een creditcard. Hoewel het apparaat steeds kleiner werd, werd zijn rol in de samenleving steeds groter. Bij de introductie van de eerste generatie mobiele telefoons zei de meerderheid van de Nederlanders dat zij zich niet konden voorstellen dat zij ooit zo'n hebbeding zouden aanschaffen.

Je was toch al bereikbaar? Telefooncellen zat. Maar inmiddels zijn we lang en breed ingehaald door de realiteit: nagenoeg iedereen heeft een mobiele telefoon – en we kunnen geen minuut meer zonder.

Als mensen hun gsm vergeten of denken dat ze hem kwijt zijn, breekt het angstzweet hun uit. Voor dit nieuwe fenomeen is al een naam bedacht: nomofobia, de angst om *no mobile* te hebben. Mensen zijn sociale wezens en hebben een diep verlangen naar contact. Maar we zijn ook altijd op zoek naar nieuwe prikkels, en daarom is het bijna onmogelijk om het gerinkel van een telefoon te negeren. Wie zou het zijn? Stel dat je wat mist. Word je misschien gezocht? Stel dat er wat is. Ik weet dat het onbeleefd is maar de drang om op het display van mijn vibrerende gsm te kijken, is bijna niet te weerstaan. Dat komt ook door onze hersenen. Mensen zijn van nature zo bedraad dat zij bepaalde geluidsfrequenties beter oppikken dan andere. Zo is het geluid van een huilende baby voor ons brein nauwelijks te negeren. En laat dat nou dezelfde frequentie zijn als het rinkelen van een mobieltje! Eigenlijk is opnemen dus helemaal niet zo onbeleefd; je geeft gewoon toe aan een biologische impuls. Of zoiets. Het is in ieder geval een goed verhaal op feesten en partijen.

En dan is er nog het mysterie van de neprinkel. Iedereen kent het gevoel dat je denkt dat je gsm in je tas afgaat, terwijl dat niet zo blijkt te zijn. Of je weet zeker dat je hem in je jaszak voelt trillen. Ik noem dat altijd mijn *fauxbiel*-momentje. Omdat je zó gespitst bent op gebeld worden, staan je hersenen de hele dag op ontvangen. Het gebrom van een vrachtwagen? Klinkt als de trilfunctie. Hoge geluiden in een radiocommercial? Ik word gezocht! Wonderlijk eigenlijk, hoe ik me laat (af)leiden door zo'n plastic prul. De nieuwe generaties mobiele telefoons dringen echter nog verder in je persoonlijke leven: nu moet je er ook nog mee mailen, foto's uitwisselen, *tweets* versturen, non-stop bereikbaar zijn! Eerlijk gezegd ben ik het een beetje beu, al dat hijgerige overcommuniceren. Altijd die draadloze telefoon... Ik denk dat ik maar eens op zoek ga naar een telefoonloze draad.

Naam en faam

Vorige week lag ik op het strand in Spanje toen een Engelse moeder naast mij begon te roepen: 'Dolce and Gabbanaaa!' Ik dacht nog: zoekt ze soms haar roze dwergpoedels? Maar nee – het waren haar dochtertjes. Dolce gáát nog, maar ik heb nu al medelijden met het meisje dat over een paar jaar doorkrijgt dat zij zit opgezadeld met Gabbana. Gelukkig kun je de creativiteit van je ouders later altijd nog een paar tandjes terugschroeven. Zoals filmregisseur Duncan Jones; geboren als Zowie Bowie, zoon van popster David Bowie. Duncan heeft zodra hij dat kon bij de échte achternaam van zijn vader meteen een andere voornaam gekozen. Grappig eigenlijk, dat de extravagante Bowie van huis uit gewoon meneer Jansen heet. Dat pop- en filmsterren hun naam veranderen is niks nieuws; sommige namen hebben nu eenmaal weinig *star quality*. Norma Jean Baker werd letterlijk en figuurlijk omgetoverd tot Marilyn Monroe. Georgios Krylacos Panayiotou werd George Michael en maar weinig mensen weten dat Nelson Mandela eigenlijk Rolihlahla heet.

Ook in Nederland hebben we genoeg sterren die bij hun geboorte anders zijn gedoopt. Rapper Brainpower vond Gert-Jan Mulder waarschijnlijk niet bijster getto en Ruud de Wild schijnt gewoon Theo Driehuizen te heten. Ruud Gullit was oorspronkelijk Ruud Dil en Jeroen van Inkel heet eigenlijk Jeroen Donderwinkel. En Adrianus Kyvon? Dat is André van Duin. Waren zij niet beroemd geworden onder hun eigen naam? Wie zal het zeggen. Het lijkt misschien maar een naam, maar uit onderzoeken is gebleken dat namen verrassend veel invloed kunnen hebben op je levensloop. Leraren blijken bijvoorbeeld onbewust een hekel te hebben aan kinderen met opzichtig gespelde namen, zoals Daizyray in plaats van Desirée. Ook blijken leraren aan het begin van het schooljaar al in te schatten wat voor karakter er bij een bepaalde naam hoort – en wonderlijk genoeg krijgen ze vaak nog gelijk ook. Of zorgt hun vooringenomen gedrag er vanzelf voor dat ze gelijk krijgen? Ook werkgevers trekken conclusies uit de naam van een sollicitant. Zo laten hogere sociale klassen de namen van hun kinderen vaak eindigen op -e, zoals Charlotte of Eline, terwijl de lagere sociale klassen eerder zijn geneigd tot -y, zoals Jordy of Destiny.

Leraren mogen dan hun neus ophalen voor de 'moderne spelling,' in de showbusiness is het bijna een must. Neem alleen al Will.i.am, Kanye West of topmodel Agyness Deyn. Zij heette trouwens gewoon Laura Hollins, maar de door haar geconsulteerde 'naamspecialist' Laurence Y. Payg had uitgerekend dat zij met die naam niet beroemd zou worden. Volgens hem hebben de letters D, O, Y, P en G namelijk een positieve vibratie en de letters B, F, W, U, X en H een negatieve. Daarnaast beweert Payg nog allerlei andere 'letterwaardes' te berekenen om zo tot de meest lucratieve naam te komen. Gebakken lucht? Misschien niet. Nadat Laura Hollins van het toneel was verdwenen, werd Agyness Deyn een van 's werelds bestbetaalde topmodellen. Maar wacht eens even – als ik Paygs methode volg, zijn ook Dolce en Gabbana winstgevende combinaties. Misschien is die Engelse moeder juist wel heel bewust bezig! Mijn vriendin is in verwachting van een jongetje. Ik ga haar Dopyng adviseren. Eén en al positieve vibraties – voor een wielrenner.

Oude dingen

Hoe krijg je kinderen enthousiast voor een museum? Het heeft in ieder geval weinig zin om ze te prikkelen met het gegeven dat iets al 'heel oud' is. Emma en Alec vinden míj al oud, laat staan dat ze zich kunnen voorstellen dat iets al 2000 jaar meegaat. Toen we laatst met het hele gezin naar Athene gingen, probeerde ik mijn kinderen in het vliegtuig alvast warm te draaien voor alle culturele uitstapjes die we zouden gaan maken. De Akropolis! De geboorteplaats van de democratie! De oorsprong van de Olympische Spelen! Hun reactie? 'Is er ook een zwembad?' Daar moest ik erg om lachen, want het deed me denken aan mijn eigen jeugd.

Mijn ouders vonden het namelijk zonde van de tijd om in de zomervakantie alleen maar 'doelloos' te luieren. En dus moesten mijn broer Clark en ik onder het motto van de culturele verrijking in de brandende zon van alles gaan bezichtigen. Eerst kropen we dagenlang met onze sleurhut door de Alpen richting Zuid-Italië – en dat allemaal zonder airco, dus met geblokte keukenhanddoeken tussen de autoramen geklemd. Voorin stookten mijn ouders de hitte nog wat verder op met klassieke discussies over het kaartlezen ('Je houdt dat ding op zijn kop!' 'Hou zelf je kop!') en de juiste baan bij het filerijden ('Jij kiest altijd de verkeerde!' 'Zeg dat wel!'). Maar wanneer mijn broer en ik dan eindelijk lekker op het strand lagen, werden we er binnen de kortste keren weer vanaf geplukt.

Dan moesten we dringend naar de Sixtijnse Kapel, het Vaticaan, het Forum Romanum of het Colosseum. Misschien dat ik daarom *De Da Vinci Code* nog steeds niet heb gelezen; ik heb dat boek als kind geréden. En nu doe ik dus hetzelfde bij mijn eigen kinderen. Nou ja, niet helemaal hetzelfde. Ik geloof namelijk wél in de zegeningen van het doelloos luieren. Maar wanneer je in Athene bent, vind ik het bijna schunnig om niet naar de Akropolis te gaan. Inmiddels weet ik dat mijn kinderen later tóch blij zullen zijn dat ze het allemaal hebben gezien. Ik vind bovendien dat kinderen moeten leren dat hun ouders ook een *eigen* leven hebben, met persoonlijke hobby's en interesses. Kleine kinderen zien hun vader en moeder niet zelden als een veredelde plantsoenendienst, waarbij de één het geld binnenharkt en de ander de hele dag staat te vegen. Tijdens een gezinsvakantie veranderen de ouders maar al te vaak in twee bezigheidstherapeuten, die eindeloos moeten zorgdragen voor allerhande koek en zopie. Het kan dus helemaal geen kwaad om je kinderen ook eens mee te nemen naar iets wat jij leuk vindt. Van een kleine dosis culturele verrijking gaan ze heus niet dood. Het geeft je als ouder juist de kans om uit te leggen dat de Sixtijnse Kapel en Six Flags toch echt twee heel verschillende dingen zijn; dat Leonardo méér is dan een voetballer en dat Caesar heus niet is vernoemd naar de salade.

Daarbij heb ik gemerkt dat kinderen het best 'vet' vinden in een museum, als je het bezoek maar aankleedt met spannende verhalen die aansluiten op hun belevingswereld. Op deze leeftijd staan kinderen nog niet open voor gedetailleerde uiteenzettingen over bijvoorbeeld het pointillisme als inspiratiebron voor het fauvisme en expressionisme. Het Archeon in Alphen aan den Rijn is een schoolvoorbeeld van een doe-museum dat kinderen wél hartstikke leuk vinden. Ook het Rijksmuseum voor Oudheden in Leiden is populair, vanwege hun spectaculaire mummiecollectie en speciale tentoonstellingen zoals 'Asterix en de Romeinen'. Mijn eigen bezoekjes aan dit museum hebben ertoe geleid dat mijn nieuwe kinderboek *Marijn de woestijn* begint en eindigt in het Rijksmuseum voor Oudheden. Met een spannend verhaal over een mummie, een valse magiër, een farao en een zanddraak hoop ik de oude Egyptenaren voor kinderen wat meer tot leven te brengen. Toen ik laatst met Emma en Alec weer eens bij de mummies was gaan kijken, had ik gedurende het hele uitstapje een nieuwe aanpak gekozen: korte verhaaltjes, herkenbare details, spannende achtergronden. En dat leek te werken. Want toen we weer naar huis reden, zei Alec: 'Nou begrijp ik waarom jullie een museum zo leuk vinden!' 'O ja?' vroeg ik, verheugd over het succes van mijn pedagogische aanpak. 'Zeker,' knikte Alec, 'ouwe mensen houden van ouwe dingen.'

Gelukstips

Hoe maak je een man gelukkig? Met de vier W's: wijf, wagen, werk en woning. Tenminste, dat zegt de oude keukentegel. Maar Discovery Channel heeft laatst onder 3000 Nederlandse mannen een rondvraag gedaan over hun geluksgevoel, en daar kwamen nog wat andere interessante dingen uit. Zo bleek 90% heel gelukkig in de liefde en beweerde twee derde van deze mannen dat hun partner 'alles' voor hem betekende. Wat zoet. Maar toen kwam de laatste vraag: hoe zouden de heren hun vrije tijd het liefste doorbrengen? Waar zouden ze het gelukkigst van worden? Vreemd genoeg kwam die geweldige partner vervolgens nergens meer in voor. Want 'met een paar mooie vrouwen op een onbewoond eiland' prijkte huizenhoog bovenaan. 'Een krat bier leegdrinken met vrienden' kwam op de tweede plaats en 'wegrijden in een nieuwe auto' eindigde op drie. Kort samengevat is een man dus het meest in zijn nopjes wanneer hij met een krat bier in een nieuwe auto onderweg is naar Schiphol. Ja, daar kun je als vrouw wat mee.

Niet dat vrouwen veel betere antwoorden zouden geven. Ik zou eigenlijk ook wel met een paar meiden op een onbewoond eiland willen zitten. Vrouwen zíén tenminste dat je een mooie bikini aanhebt. Of een leuke kaftan. Of nieuwe slippertjes. Er mogen best knappe kerels langskomen, hoor. Kunnen ze fijn hout sprokkelen zodat de dames een gezellig potje thee kunnen drinken. Mannen moet je bezighouden, anders lopen ze vast. Onderzoekers van de Universiteit van Wenen hebben immers pas nog uitgevogeld dat hoe meer een man beweegt, hoe minder kans hij heeft om impotent te worden. Hun conclusie was dan ook dat huishoudelijk werk de sekslust bij mannen zou verhogen. Wat heerlijk! Geef die man een ontstopper – wie weet wat er nog omhoogkomt. En waar kun je vrouwen verder nog blij mee maken? Hebben wij misschien ook vier van die W's? Ik kon ze niet bedenken. Maar wel vier S'en, te beginnen met stabiliteit. Een vrouw wil haar kinderen een stabiel gezinsleven bieden, dus ze zoekt iemand die betrouwbaar en evenwichtig is, zonder al te veel gekke fratsen.

Maar ook weer niet te saai, alstublieft. Want seks is ook belangrijk – heel belangrijk zelfs. Ik las laatst ergens dat seks tussen getrouwde stellen zo achteruitgaat omdat je letterlijk familie van elkaar wordt. Getver, wat een nare gedachte. Gelukkig is er altijd nog shoppen, want winkelen prikkelt hetzelfde beloningscentrum in de hersenen als een vrijpartij. (Met één voordeel: als het niet goed voelt, ga je het gewoon ruilen.) En dan is er natuurlijk nog slank zijn. Of beter gezegd: het eeuwige lijnen. Met iedere kilo die eraf gaat, gooien we wat extra muntjes in de parkeermeter van het geluk – denken we. Maar goed. Naast de vier W's hebben we nu dus ook de vier S'en van stabiliteit, seks, shoppen en Sonja. Brengt dit wat meer helderheid in de strijd tussen de seksen? Zijn deze onderlinge wetenswaardigheden de sleutel tot relationeel geluk? Welnee, zou mijn oma zaliger zeggen. Allemaal modern geneuzel. Oma had maar één gelukstip, en die gold voor zowel mannen als vrouwen: 'Laat je niet voor de gek houden door een kus, en laat je niet kussen door een gek.'

Angst voor succes

In het maandblad O van Oprah las ik een intrigerend berichtje. Onderzoekers hadden tweehonderd vrouwen een jaar lang gevolgd bij het gebruiken van verschillende beautyproducten. Van de vrouwen die géén resultaat zagen, was 75% erg gemotiveerd om door te gaan met smeren. Maar van de vrouwen die wél resultaat zagen en positieve reacties hadden kregen, was ruim 55% niet van plan verder te gaan met het verzorgingsritueel. Dat vond ik nogal tegenstrijdig klinken, maar volgens de onderzoekers lag hier een psychologische reden aan ten grondslag: mensen worden meer gedreven door angst dan door succes. In het geval van beautyproducten is de onderliggende angst bijvoorbeeld dat je er vermoeid uitziet of een rimpelige kop krijgt. Wanneer huidverzorging niet blijkt te werken, wordt deze angst versterkt, waardoor je nog meer producten gaat kopen. Maar zodra je daadwerkelijk verschil gaat zien, verandert de angst in opluchting: 'Aaah, het valt allemaal wel mee!' Volgens de onderzoekers ben je dan meteen veel minder gemotiveerd om er een heel beautyregime op na te houden.

Dit geldt volgens mij ook voor afvallen. Mensen die met ijverig lijnen hun streefgewicht hebben bereikt, stoppen vaak acuut met hun dieet. Succes behaald, motivatie verdwenen. Een gelukkig leventje in een rustige Vinex-wijk vinden heel wat mensen saai en gezapig, terwijl tegenslagen en turbulenties als opwindend worden gezien. Dan leef je pas écht. Maar waarom eigenlijk? Waarom zetten negatieve gevoelens veel meer aan tot actie dan positieve gevoelens? Het overkomt iedereen. Ik had het bijvoorbeeld met één bepaalde schoonmoeder. De meeste moeders van mijn relaties waren hartstikke leuk, maar er zat één draak tussen. En juist bij díé vrouw heb ik vreselijk mijn best gedaan om haar te plezieren. Als een beautyproduct dat maar geen resultaat wilde geven, heb ik eindeloos geprobeerd om de plooien glad te strijken. Ik blééf smeren

– maar helaas. Hoe komt dat toch, dat je bij onaardige mensen alsmaar blijft hengelen naar waardering, terwijl je de aardige mensen schouderophalend voor lief neemt?

Waarom loop ik harder voor een zeikerd van een opdrachtgever, terwijl een sympathieke opdrachtgever juist dat stapje extra zou verdienen? Waarom zat ik op mijn vierentwintigste ziek van verliefdheid naast de telefoon te wachten op een belletje van een botte hork, terwijl ik met die zachtaardige collega veel meer kans op succes had gehad? Nu weet ik het. Het is de angst. Iedereen is bang voor afwijzing, voor falen, voor mislukking. En de mensen die precies op díé kwetsbare knop drukken, wekken onze interesse. Mannen en vrouwen die op zoek zijn naar een relatie worden enorm geprikkeld door iemand die hen niet ziet staan. Of ze willen net datgene wat ze niet kunnen hebben. Zoals de eekhoorn Scrat uit de film *Ice Age*, die alsmaar achter een onbereikbare eikel aan zit. In *Ice Age 3* krijgt hij eindelijk de kans om gelukkig te worden met een vrouwelijk eekhoorntje – maar nee hoor. Scrat kan de verleiding niet weerstaan om toch weer achter dat nootje aan te gaan, en eindigt daardoor eenzaam op een ijsvlakte. Psychologisch verklaarbaar, en meteen ook een prima les voor alle single mannen: als je te veel achter je eikel aan loopt, kom je uiteindelijk in de kou te staan.

Boeddha-oren

Veel mensen hebben moeilijke voeten, maar ik heb moeilijke oren. Om te beginnen zijn te groot voor mijn kleine hoofd. Je zou hopen dat ze dan in ieder geval op gelijke hoogte of hoger liggen dan mijn wenkbrauwen, want volgens het aloude Chinese gezichtslezen betekent dit een groot intellect en materiële welvaart. Maar helaas, dat halen ze dan weer nét niet. En dan zijn er nog mijn oorlellen. Bij de meeste mensen zitten de lelletjes vast aan de zijkant van hun gezicht. Bij mij niet. Ik kan mijn vlezige lellen opvouwen en ín mijn oor stoppen. Leuk om te demonstreren op feesten en partijen, maar echt charmant is het natuurlijk niet. Gelukkig heb ik één troost: in Tokio (waar ik ooit als fotomodel aan het werk was) bestempelden ze mijn grote lellen als 'Boeddha-oren'. Boeddha had immers ook van die lange lellen, en het belooft een lang en gelukkig leven. Daar moet ik dan maar op vertrouwen, want voor de rest heb ik weinig positieve ervaringen met mijn flappers. Volgens mijn klasgenoten op de middelbare school had ik de ziekte van Röpke: 'Daphnes oren zijn groter dan haar köpke!' En tijdens mijn modellencarrière werden mijn oren geregeld met dubbelzijdig tape tegen mijn schedel geplakt. Dus ja – mijn oren zijn groot. Zoveel is nu wel duidelijk. Maar ze zijn ook raar. Zo kunnen ze bijvoorbeeld niet tegen de kou. Als het buiten waterkoud is, zwellen mijn oren op tot twee gewelde pruimen. Waarom? Ik heb geen idee.

Op de middelbare school heb ik er ooit gaatjes in laten schieten, maar ik bleek een nikkelallergie te hebben, waardoor mijn lelletjes altijd ontstoken waren. Toen heb ik ze maar weer dicht laten groeien. Oordopjes van de iPod? Vallen er bij mij altijd uit. Ze blijven gewoon niet zitten, het lijkt wel of het niet past. Dan zegt Richard geërgerd: o, Daphne heeft weer wat, neem dan een koptelefoon! Maar als ik die opzet, krijg ik binnen tien minuten pijn aan mijn oorschelpen. Ik heb een jaar lang een radioprogramma mogen presenteren, en om de zoveel tijd moest ik mijn koptelefoon afzetten omdat het kraakbeen in mijn oren er niet tegen kan. Niemand bij dat hele radiostation had daar last van, maar ik natuurlijk weer wel. Maar waar mensen met moeilijke voeten altijd op begrip kunnen rekenen, wordt er op moeilijke oren een beetje meewarig gereageerd. En dat terwijl ik 's nachts regelmatig wakker word van de pijn, omdat ik te lang op één oor heb gelegen. Maar daar staat tegenover dat ik het heerlijk vind wanneer mijn oren zachtjes worden gemasseerd; daar ontspant mijn hele lichaam van. In de acupunctuur heeft het oor een belangrijke betekenis; het wordt voorgesteld als een omgekeerde foetus. Als je naar het oor kijkt en de foetus daarop projecteert, dan zie je het hoofd op de oorlel, de wervelkolom langs de kraakbeenrand en de organen liggen in de oorholte.

Maar als je oren symbool staan voor je hele lichaam, wat betekent het dan dat ik zo'n last heb van die krengen? 'Misschien ben je gewoon een prikkelbaar, hypergevoelig en nerveus persoontje,' antwoordde laatst een masseuse met weinig gevoel voor klantenbinding. Zou het echt zo erg zijn? Eén ding durf ik wel over mezelf te zeggen: ik ben ontzettend onhandig. Zo ben ik vorige maand met een wattenstaafje door mijn trommelvlies gegaan. Ja, ik weet dat je officieel niet met zo'n ding in je oren mag poeren, maar ik doe het lekker toch. Want ik heb een hekel aan water in mijn oren en uitpuilend oorsmeer vind ik net zo vies als witte vlokken in de mondhoeken. Maar uiteindelijk ben ik mooi gestraft voor mijn koppige gebruik van wattenstaafjes, want na wat onhandige manoeuvres prikte ik zó door mijn trommelvlies heen. En ik kan je vertellen: Dat Doet Pijn! Uiteindelijk groeide het vanzelf weer dicht, maar toen de kno-arts na twee weken met een stofzuigernaaldje de bloedkorsten uit mijn oor ging graven, heb ik gehuild van ellende. 'Er zijn kinderen die dit beter verdragen,' zei de dokter zuinigjes. 'Ik h-heb m-moeilijke oren,' snifte ik. Maar dat bestond volgens haar niet. Discussie gesloten. Tot mijn dochter Emma laatst verdrietig uit school kwam: een paar jongens hadden iets onaardigs gezegd over haar grote oren. En toen zei ik tegen haar wat ik eigenlijk al heel lang geleden tegen mezelf had moeten zeggen: 'Je hebt Boeddha-oren, schat. En wat anderen over je zeggen, gaat gewoon je ene oor in en je andere oor uit.'

Kwetsbare meisjes

Wie het nieuws de afgelopen weken heeft gevolgd, kan maar één conclusie trekken: de wereld is geen veilige plek voor meisjes. Iedereen kent inmiddels het bizarre verhaal van de Amerikaanse Jaycee Lee Dugard, die achttien jaar geleden op elfjarige leeftijd werd gekidnapt bij de bushalte voor haar ouderlijk huis. Al die tijd bleek zij als seksslavin te hebben gefungeerd voor een zedenmisdadiger die haar opgesloten hield in schuurtjes en tenten in zijn achtertuin. Jaycee Lee had zelfs twee kinderen gekregen van haar verkrachter, en ook deze twee meisjes hield de man al die tijd gevangen. Maar hoe 'bizar' is dit verhaal eigenlijk? Het ontvoeren en opsluiten van meisjes lijkt wel gemeengoed geworden. Het begon allemaal met de Belgische psychopaat Dutroux. Althans – dat was de eerste keer dat dergelijke gruwelkelders werden ontdekt. Misschien waren ze er al veel langer en waarschijnlijk zijn ze er nog steeds, getuige de niet-aflatende stroom aan nieuwe gevallen. Want na Dutroux kwam de Oostenrijkse tiener Natascha Kampusch, die acht jaar bleek te zijn opgesloten in de kelder van een huis. En in Rusland ontvoerde een man de veertienjarige Katya en de zeventienjarige Lena, die hij bijna vier jaar in een ondergrondse bunker gevangen hield, totdat zij wisten te ontsnappen.

Daar was de wereld nog niet van bekomen, of er bleek een monster als Joseph Fritzl te bestaan. Deze Oostenrijkse vader sloot zijn dochter Elisabeth maar liefst vierentwintig jaar in zijn eigen kelder op en verwekte zeven kinderen bij haar. Niet lang daarna kwam in South-Carolina de volgende zaak aan het licht: de veertienjarige Elizabeth Shoaf zat tien dagen opgesloten in een ondergronds hol, totdat zij aan haar verkrachter een gsm had weten te ontfutselen. De slimme tiener stuurde razendsnel een sms'je naar haar moeder, waarna de politie haar na een uitgebreide zoekactie wist te lokaliseren. Ik krijg de rillingen van dit soort verhalen. Want hoeveel van dit soort gevangenissen zijn er op dit moment nog in gebruik? En hoe kan het toch gebeuren dat in een gewone straat, in een gewoon rijtjeshuis, in een ogenschijnlijk gewone familie jonge meisjes jarenlang gevangen worden gehouden? Hoe kunnen die echtgenotes 'van niks weten'? Hoe kunnen die buren nooit wat horen? Hoe kunnen die familieleden geen verdenkingen hebben?

De kwetsbaarheid van jonge meisjes maakt mij boos en verdrietig. Want overal ter wereld worden meisjes slachtoffer van mensenhandel, prostitutie, slavernij en seksueel geweld. In China zijn meisjesbaby's niet gewenst vanwege de éénkindpolitiek en in India worden meisjesfoetussen illegaal geaborteerd zodat de ouders geen bruidsschat hoeven te betalen. In allerlei landen mogen meisjes uit religieuze redenen geen onderwijs volgen en kunnen ze worden ingezet als 'afbetaling' voor schulden. Vorige maand las ik in de krant dat een tachtigjarige (!) Saoediër zijn tienjarige bruid op last van de rechter gewoon terugkreeg nadat ze was weggelopen uit angst voor het huwelijk. Ook een achtjarig meisje dat was getrouwd een zevenenveertigjarige man moest van de Saoedische rechter terug naar haar man, nadat hij een verklaring had getekend dat hij geen seks met haar zou hebben tot de puberteit. Of ze nou in bunkers opgesloten zitten of met toestemming van het wetboek gevangen worden gehouden – de wereld is geen veilige plek voor meisjes.

Baas van de roedel

Honden en ik – het is geen winnende combinatie. Toen ik opgroeide op het platteland, hebben we enige jaren een herder gehad, Pajja. Dat was een ongelooflijk lief beest maar ook een echte boerderijhond: hij liep altijd buiten, luisterde alleen naar het rammelen van de etensbak en sprong om de haverklap in een stinkende sloot. Toen hij echter met Trixie, de hond van de buren, een paar schapen had aangevallen, moest hij van de natuurbeheerder worden afgemaakt. Honden die eenmaal bloed hebben geproefd, leren dat niet meer af, zei die man destijds. Inmiddels heb ik begrepen dat zulk gedrag nog wél is af te leren, maar daar heeft Pajja niks meer aan. Terwijl onze hond allang een spuitje had gekregen, zeiden mijn ouders dat hij was weggelopen. Dat was ongetwijfeld bedoeld om onze tere kinderziel te beschermen, maar bij mij pakte het averechts uit. Ik voelde me zó schuldig. Hadden we Pajja soms niet goed verzorgd? Hem niet genoeg liefde gegeven? Iedere avond zat ik snikkend voor mijn slaapkamerraam, tot ik me erbij had neergelegd dat hij ergens anders een beter thuis had gevonden.

Toen ik jaren later hoorde dat hij helemaal niet was weggelopen, was het kwaad al geschied. Ik dacht dat ik niet geschikt was om een hond te verzorgen – en dat denk ik eigenlijk nog steeds. Honden luisteren nooit naar mij. Waarschijnlijk straal ik een soort onzekerheid uit die ze feilloos oppikken. En dus duiken ze altijd in mijn kruis, hangen grommend aan mijn broekspijpen en springen met hun bemodderde poten tegen me op. Mijn vader daarentegen is een echte hondenfluisteraar. Hij kan zelfs de meest agressieve waakhonden met een paar woorden tot bedaren brengen. Maar als ik precies dezelfde woorden uitspreek, hangen die krengen alsnog in mijn kuiten. Inmiddels is echter gebleken dat ik nóg een hondenfluisteraar in de familie heb: Alec. Ieder jaar vraagt hij maar één ding voor zijn verjaardag: een hond. Ook zijn verlanglijstje voor Sinterklaas is steevast kort en bondig: een hond. Ik heb hem eerst nog proberen af te leiden met een Siberische dwerghamster, maar die legde na twee jaar het loodje. Waarna Alec hem nog diverse malen uit zijn grafje in de tuin heeft opgegraven – maar dat terzijde.

En dus, na rijp beraad (lees: na jarenlange emotionele chantage) hebben wij een puppy in huis genomen. En wat voor een! Het is een überschattige Lhasa Apso, oftewel een Tibetaanse Swiffer. Hij heet Raffa, naar de tennisser Rafael Nadal. En wat denk je? Hij luistert totaal niet naar mij. Hij knaagt aan mijn dure tassen, poept bij voorkeur in mijn werkkamer en verroert geen poot als ik hem roep. Desondanks vind ik Raffa geweldig. Want Alec is helemaal in de zevende hemel, en naar hem luistert hij wél. Ook naar Richard trouwens, die verrassend goed met honden blijkt te zijn. Nu mama nog. Gewapend met beloningskoekjes volg ik braaf een puppycursus. 'Honden hebben meteen door wie de baas van de roedel is,' zei de cursusleider bij de eerste les, 'en de rest wordt genegeerd.' O, dus die kleine pluizensnuit denkt dat ik niet de baas van de roedel ben? Ha, dat gaat 'm dan nog tegenvallen, want dat dacht Richard eerst ook!

Zeiken

Onlangs werd bekend dat lantarenpalen vroegtijdig moeten worden vervangen, omdat mannen en honden er almaar tegenaan pissen, waardoor ze eroderen. Van honden snap ik het nog wel. Die beesten zijn in de simpele veronderstelling dat ze hun territorium moeten afbakenen. Maar waarom mannen de openbare ruimte steeds verwarren met een openbaar toilet? Geen idee. Misschien gaan ze onbewust de strijd aan met een grotere paal. Wat het ook is – voor vrouwen zijn de sanitaire gewoontes van mannen een bron van ergernis. En van bacteriën. Op het kinderdagverblijf proberen ze het er al in te rammen: 'Na het plassen handjes wassen.' Maar of de heren dat ook doen? Ik vrees van niet. Denk daar maar eens aan, wanneer een man ongevraagd zijn handen in jouw chipszakje steekt. Toen ik dit laatst met wat vrouwen besprak, kwamen er spontaan nog meer ergernissen boven. Vriendjes die zó luidruchtig chips eten dat je de film niet meer kunt verstaan. Mannen die rechtop in slaap vallen tijdens een Goed Gesprek (Hallo, Richard!). Echtgenoten die broodkruimels achterlaten in de boter, de messen altijd verkeerd in de afwasmachine zetten of domweg irritant ademhalen.

Terwijl we daar zo stonden te bitchen, realiseerde ik me opeens dat je dénkt dat relaties ten onder gaan aan grote problemen zoals ontrouw en drugsverslaving. Maar het zijn juist de kleine ergernissen die partners gillend gek maken. En wonderlijk genoeg ga je je juist aan díé dingen ergeren die je in het begin zo charmant vond. 'Hij heeft altijd leuke verhalen' wordt na een aantal jaren: 'Hij houdt nooit zijn mond.' 'Hij heeft van die spontane invallen' wordt: 'Hij denkt niet na voordat-ie wat doet.' En het opgewonden: 'Hij belt me de hele dag' blijft: 'Hij belt me de hele dag' – maar dan met een vermoeide zucht. Al die kleine irritaties zijn als druppels op een steen. Iedere druppel afzonderlijk is eigenlijk te onbeduidend om je over op te winden. Want laten we eerlijk zijn: hoe erg is het nu écht dat hij te veel ritselt met de krant? Maar na jaren van drup-drup-drup komen er toch scheurtjes. Zelfs de Grand Canyon is door waterslijtage ontstaan; als er maar genoeg tijd overheen gaat, kan een klein beetje wrijving een enorme kloof veroorzaken.

Zo gaat ook in relaties de vonk uit. Niet door grote drama's, maar door kleine verzuringen die vreten aan de basis. En reken maar dat mannen zich ook ergeren. Zo vinden ze het vreselijk als vrouwen zeuren, mokken of überkritisch zijn. Of urenlang nodig hebben om zich klaar te maken voor een feestje. Maar ja, ook hier is een voor-en-na-patroon te herkennen: 'Ze ziet er altijd zo leuk uit' wordt dan: 'Sjezus, ze staat zo lang voor de spiegel.' Maar waar je je aan ergert, zegt vaak meer over jou dan over je partner. Het is meestal je eigen stress of vermoeidheid waardoor je die snuivende ademhaling of die krakende nootjes er nét niet meer bij kunt hebben. Dan helpt het om te bedenken dat je zelf ook de nodige hinderlijke gewoontes hebt. Een beetje geduld met elkaars eigenaardigheden doet wonderen. Eigenlijk is het net als met die lantarenpalen: niet zeiken, dan blijft het lichtje langer branden.

Lachen

Mijn dochter Emma komt op de leeftijd dat ze om alles moet gie-
belen. Samen met haar vriendinnen kan ze eindeloos de slappe lach
hebben. Gieren om alles, geiten om niks, typisch voor beginnende
pubermeisjes. Toen ik haar gisteren weer eens met een vriendinnetje dubbel zag liggen, voelde ik opeens iets van weemoed. Dat
onbedaarlijke lachen, dat in een deuk liggen om de simpelste dingen – als volwassene verlies je dat toch een beetje. Zodra de eerste
blauwe brieven op de mat vallen, valt er weinig meer te lachen. Het
leven wordt steeds serieuzer, en je leest steeds vaker dingen in de
krant waar je de humor bepaald niet van inziet. Maar áls ik dan weer
eens met een groepje vriendinnen tot tranen toe heb gelachen, realiseer ik me eens te meer hoe ongelooflijk lekker het eigenlijk is.
'Wat zeep is voor het lichaam, is lachen voor de ziel,' zegt een joods
spreekwoord. En gelijk hebben ze. Als ik de slappe lach heb gehad,
voel ik me daarna zo... opgeruimd. Een beetje herboren.

De mens is de enige diersoort die kan lachen, en het doet ons goed.
Door de vrijgekomen endorfines voel je je niet alleen fantastisch,
maar lachen verlaagt ook nog eens je bloeddruk en het versterkt je
immuunsysteem. Maar waarom lachen we dan niet vaker? In het
blad Health las ik dat we gemiddeld maar twintig keer per dag glimlachen of luid lachen. Sterker nog: een derde van de volwassenen lacht
nooit of minder dan tien keer per dag. Nooit? Hoe kun je nou nooit lachen? Wat ik ook verontrustend vind, is het feit dat we steeds minder
lachen naarmate we ouder worden. Nóg minder? Daar wil ik niet aan
meedoen. Eigenlijk was die giebelende tienertijd helemaal zo gek
nog niet. Tijdens mijn middelbareschooltijd in de jaren tachtig leek
alles nog zo grappig, aanstekelijk en rooskleurig. De eighties waren
een ongelooflijk decennium. De mode van toen is nu weer helemaal
terug: de schoudervullingen, de harembroeken, de neonkleuren. Eigenlijk waren de jaren tachtig hun tijd ver vooruit.

Er gebeurde zóveel vernieuwends: tv, muziek en mode, alles was baanbrekend en gedurfd. Er waren mannen met make-up en getoupeerd haar, zoals Duran Duran, Adam and the Ants en Billy Idol, en ze waren nog sexy ook. Het was het begin van MTV, van de videorecorder en de magnetron. En dan al die geweldige films! De eighties brachten ons onder andere de *Gremlins, Karate Kid, Back to the Future, Ghost Busters* en *Dirty Dancing*. Ik heb laatst een hele stapel voor een paar knaken op de kop getikt, en ze avonden achter elkaar met mijn kinderen bekeken. Emma en Alec hebben zó gelachen, en ik ook. Ik ben heus niet iemand die vroeger alles beter vond, maar zeg nou zelf: de familiefilms wáren gewoon beter. De verhalen waren grappiger, de muziek was vrolijker en de samenleving ontegenzeglijk verdraagzamer. Maar wat is er dan met ons gebeurd? Er moet weer meer gelachen worden. En dan niet dat Hollandse uitlachen, maar buiklachen. Geen gemakkelijke opgave in deze crisistijden. Probeer het eens met *Home Alone* 1 en 2. Laat het allemaal even los. Want een optimist lacht om te vergeten, terwijl een pessimist vergeet om te lachen.

Maat houden

Een paar weken geleden schreef ik een column met de titel 'Vet-blind', over de alsmaar uitdijende Nederlandse bevolking. Eerlijk gezegd had ik wel een paar boze brieven verwacht, maar eigenlijk heb ik alleen maar positieve reacties gehad. Diep in hun hart weten mensen heus wel dat ze te zwaar zijn, maar het is zo'n gedoe om er iets aan te doen. Het is veel fijner om met een fles wijn achterover te blijven leunen en te verzuchten 'dat je toch nooit in maatje nul zult passen'. Maar die veelbesproken *size zero* bestaat hier helemaal niet. Daar zijn wij als volk veel te lang voor. Vrouwen als Christina Aguilera en Kylie Minogue zijn 1.52 meter; dat is even groot als mijn elfjarige dochter Emma. Deze frêle zangeressen zullen misschien wel in een Amerikaanse zero passen, want dat is vergelijkbaar met grote kindermaten zoals 164 of 170. Maar veel fotomodellen zijn 1.80 meter, dus die kunnen (in tegenstelling tot wat de hyperige media ons willen doen geloven) zelden maat nul dragen. En de gemiddelde Nederlandse vrouw al helemaal niet, want wij zijn lang en struis, en daar zijn we trots op.

De nullijn is dus een onzinnig streven, maar je kunt jezelf wél een plezier doen met de meest fitte variant van je eigen lichaam. De afgelopen weken kreeg ik heel wat reacties van vrouwen die schreven: ik heb een maatje meer, maar ik voel me er heerlijk bij. Dan zeg ik: prima, houden zo. Want als het op je figuur aankomt, kun je twee dingen doen: accepteren of accelereren. Ben je blij met je lijf, ongeacht je BMI? Dan heb je jezelf blijkbaar geaccepteerd zoals je bent en daar is heel wat voor te zeggen. Ben je níét tevreden met je lichaam, dan wordt het tijd om te accelereren: kom in beweging en ga lekker sporten. Het gebeurt regelmatig dat mannen op Richard afstappen en zeggen: jij traint zeker veel? Ze willen dan precies weten wat Richard allemaal doet, want mannen geloven dat een afgetraind lichaam ook binnen hun bereik ligt. Bij vrouwen werkt het anders. Als die op mij afstappen, zeggen ze steevast: jij eet zeker niks? Vrouwen zijn namelijk gaan geloven dat een slank lichaam alleen haalbaar is door jezelf uit te hongeren.

Maar ik eet juist alles. Daarnaast doe ik krachttraining, streetdance en honderd sit-ups per dag (kom op, dat is in tien minuutjes gepiept!). En één ding weet ik zeker: het beste dieet is geen dieet. Lightproducten of magere varianten stillen noch je honger, noch je lekkere trek. Het vult of verzadigt niet, dus uiteindelijk eet je meer. Gebruik daarom gewoon echte boter, eet volkorenbrood, en laat suikerbommen als wijn, bier en mixdrankjes wat vaker staan. In plaats van punten tellen, grammen wegen, koolhydraten scheiden, hormonen spuiten en toetjes strepen kun je eigenlijk gewoon hetzelfde blijven eten – alleen iets minder. Serveer het op een kleiner bord. Meng de mayonaise met yoghurt. Doe een klodder aardappelpuree door soep of saus voor een 'romig' effect. Eet langzaam. Geniet van alles wat je wél mag. En sport! Lekker in je vel zitten is voor iedereen weggelegd. Het is maat houden of van je maat houden. De keuze is aan jou.

Going Down South

Toen ikzelf nog modellenwerk deed, heb ik enige tijd in Miami Beach gewoond, en het was bijzonder om weer eens terug te zijn op de Ocean Drive. Is het echt twintig jaar geleden dat ik een broodje ging eten in The News Cafe, dat ik logeerde in The Colony en dat ik op het strand door twee ijverige agenten werd beboet voor topless zonnen? Mijn geheugen zegt van niet (o, die feestjes!), maar de spiegel zegt van wel (o, die feestjes...). Net als ik vroeger deed, moesten nu onze modellen met hun fotoboek langs allerlei potentiële opdrachtgevers – en de kritiek die ze kregen was behoorlijk pittig. Maar ja, zoals een bakker wordt beoordeeld op zijn brood, zo wordt een fotomodel beoordeeld op haar uiterlijk. Zeker in Miami, want het grote voordeel (en nadeel) van Amerikanen is dit: ze zijn *loud and clear*. Daar ben je als Nederlander niet altijd op beducht, zo merkte ik bij de spraytan. Omdat ik voor de komende twee afleveringen van BNTM tropisch bruin wilde zijn zonder daarvoor in de snoeihete zon te hoeven braden, liet ik me in Miami Beach bruin spuiten.

Het meisje vroeg nog: 'Medium, dark or extra dark?' Dus ik dacht: huppakee, doe maar extra dark. In Nederland zeggen ze dan voorzichtig: 'Zou je dat nou wel doen?' maar in Amerika krijg je precies waar je om vraagt, dus na die spraytan-sessie zag ik eruit als Michelle Obama. Over de Obama's gesproken: het blijft bijzonder dat een zwarte man president is geworden in een land waar nog zoveel onderhuids racisme is. Maar Amerika staat nu eenmaal bol van de tegenstellingen. De mensen zijn óf heel dik óf heel afgetraind. Alles wat ze eten, drinken, dragen of gebruiken moet *natural* zijn, maar tegelijkertijd zijn de ranke etalagepoppen uitgerust met een D-cup omdat veel vrouwen er nu eenmaal zo uitzien. Buiten is het ongelooflijk heet, maar binnen staat de airco zo laag dat iedereen een trui moet dragen. Toen ik in de spa van ons hotel een massage nam, werd ik ingepakt in een warme elektrische deken 'omdat de airco de behandelruimtes zo koud maakt'. Handig!

Inmiddels word je in Miami niet meer beboet voor topless zonnen, maar dat neemt niet weg dat Amerikanen nog steeds behoorlijk preuts zijn aangelegd. Tenminste – aan de oppervlakte. Want op mijn hotelkamer lagen naast de nootjes en de chips twee interessante pakketjes in de minibar. Het ene heette 'Tease', en was een *mobile intimacy* kit met twee condooms en een mini-vibrator. Het andere heette 'Going Down South', en bevatte twee condooms en glijmiddel. Blijkbaar verwachten ze bij de receptie niet dat de gasten voor de musea komen. Ja, er wordt gefeest in Miami, maar 's ochtends word je gewoon weer fris en fruitig in de fotostudio verwacht. Want modellenwerk is nog steeds wérk – en voor jou tien anderen. Niks is immers zo vergankelijk als roem; iets wat pijnlijk duidelijk werd door de Michael Jackson-T-shirts die overal in de opruiming hingen. Wat een treurig slotakkoord voor zo'n megaster. En wat een ontnuchterende les voor onze kandidaten.

Kiezen

In een parkeergarage zijn meestal weinig vrije plaatsen, waardoor ik met ieder plekje blij ben, ook al het nog zo moeilijk bereikbaar. Maar gisteren waren er opeens heel veel parkeerplekken vrij. En toen ging ik twijfelen. Hier. Nee, daar. Kan ik er straks makkelijker uit. Of nee – daar. Minder dicht bij een pilaar. Na veel getrut zette ik eindelijk mijn auto ergens neer. Terwijl ik naar de lift liep, zag ik een nóg betere plek, waardoor ik alsnog het gevoel kreeg dat ik verkeerd had gekozen. Dit fenomeen heeft me daarna nog even beziggehouden. Want waarom nam ik niet gewoon de eerste de beste lege plaats? En waarom was ik uiteindelijk tóch nog ontevreden? Omdat er te veel keuzes waren. Mensen blijken dat niet goed te kunnen verwerken. Onderzoekers in California ontdekten dat wanneer zij voorbijgangers in een winkelcentrum de keuze gaven uit vierentwintig verschillende soorten jam, slechts 3% een potje kocht. Brachten zij de keuze terug tot zes soorten jam, liep het verkoopcijfer op tot 30%.

Andere onderzoekers achterhaalden dat studenten die een baan zochten, 'zenuwachtig, pessimistisch, gefrustreerd en depressief' konden worden wanneer er méér vacatures beschikbaar kwamen. Te veel mogelijkheden maken het leven onoverzichtelijk. Vroeger viel er niet veel te kiezen, niet qua huis, werk of zelfs relatie. Je maakte er gewoon wat van. Maar nu zijn er zoveel opties. Dat brengt mensen aan het twijfelen; ze worden er onzeker van en durven nauwelijks de knoop door te hakken. Wanneer ze uiteindelijk wél kiezen, blijven ze dubben of het de goede keuze was. We leven in een maatschappij waar het 'maximaliseren' tot standaard is verheven. Stel, je wilt een kopje koffie. Wil je dan een Caffè Americano, Latte of Mocha? Een Caramel Macchiato, Cinnamon Dolce Latte of Skinny Caramel Latte? Een Java Chip Frappucino of toch maar de Peppermint Mocha Twist? Eh... heb je ook *gewone* koffie? Bij thee gaat het al net zo – dan houdt de ober zo'n hele doos voor je neus. Daar krijg ik het altijd warm van, omdat ik niet zo snel weet welke van de twintig soorten ik moet nemen. Uiteindelijk neem ik altijd maar dezelfde.

Dit maakt mij ongetwijfeld oersaai, want tegenwoordig moet je 'al je kansen pakken', 'alleen met het beste genoegen nemen' en 'alle opties openhouden'. *Live life to the max!* Geen wonder dat er steeds meer mensen blijken te zijn (mannen en vrouwen) die langdurig single blijven of van de ene relatie naar de andere hoppen, omdat ze alsmaar op zoek zijn naar de perfecte partner. Want tja, waarom zou je tevreden zijn met een sappige vleestomaat, als de supermarkt vol ligt met pomodori, *Tasty Toms*, trostomaten, kerstomaten, snoeptomaten en gele tomaten? Maar al dat maximaliseren levert eigenlijk veel meer onrust en frustratie op dan gewoon genieten van wat je al hebt. Alec wilde voor zijn verjaardag bijvoorbeeld weer gaan lasergamen, net als vorig jaar. 'Wil je niet iets anders doen?' vroeg ik verbaasd. 'Nee, waarom?' antwoordde hij, 'het was toch leuk?' Gelijk heeft-ie. Een andere plek is niet per definitie een betere plek. Dat geldt ook voor parkeerplaatsen. Neem er gewoon een! Liefst in de buurt van de kaartjesautomaat. Of bij de lift. Of...

Ierie

Afgelopen dinsdag was ik jarig. 'Mijn vriendinnen geloven écht niet dat jij al eenenveertig bent,' zei Emma stralend toen ze tussen de middag thuiskwam uit school. 'Ze zeggen dat je maximaal achtendertig lijkt!' Tja. Ergens klonk het als een compliment, dus ik heb het maar in dankbaarheid aanvaard. Hoewel de keuken traditiegetrouw was versierd en mijn kinderen heel mooie kaarten hadden getekend en geschreven, gingen mijn gedachten ongemerkt toch uit naar vorig jaar. Toen had Richard een groot verrassingsfeest voor me georganiseerd met al mijn vrienden en familie. Ik kreeg een huis vol bloemen en allerlei maffe cadeautjes, variërend van wc-papier met daarop: '40 – en schijt aan mijn leeftijd' tot tegeltjes met: 'Officieel lid van de Oldtimer Club'. Maar ben je eenmaal eenenveertig, dan gaat iedereen weer over tot de orde van de dag. Dan is het weer een gewone verjaardag en heb je officieel een plus achter je naam staan, van veertigplus. Hoewel ik het idee heb dat ik behoorlijk bij ben gebleven op het gebied van mode en muziek, kunnen Emma en Alec dat gevoel vakkundig torpederen.

Laatst zat Emma haar broertje te vervelen, waarop ik tegen haar zei: 'Kom op, Em, doe niet zo ierie.' Mijn dochter kreeg haast een rolberoerte. 'O nee,' verzuchtte ze theatraal, 'gebruik jij dat woord nu óók al? Als ouders ierie gaan gebruiken, dan is het echt vet uit.' Ik moest lachen en zei: 'Ik wil je niet teleurstellen, wijsneus, maar het woord ierie in plaats van irritant gebruikten wij zélf al op de middelbare school. Dus als je echt origineel wilt zijn, wordt het tijd om wat nieuws te verzinnen.' Niet dat dit enige indruk maakte. Het woord bleef vet uit. Tieners vinden het maar een vreemd concept dat er ooit een wereld vóór hen is geweest – en het idee dat hun ouders vroeger ook jong waren, is helemaal moeilijk te behappen. Als moeder daarentegen vind ik het juist leuk om me in hun gedachtewereld te verplaatsen, omdat 'de jeugd van tegenwoordig' zo'n opvallend ander referentiekader heeft. Toen we met de herfstvakantie in Spanje waren en langs een weg liepen waar je veel krekels hoorde, zei Alec zonder blikken of blozen: 'Volgens mij gaat daar een telefoon af, want ik hoor iemands ringtone.'

Als je het per se negatief wilt bekijken, zou je kunnen zeggen dat het eigenlijk treurig is dat de kinderen van nu natuurgeluiden verwarren met ringtones. Maar ik vind het juist grappig; ze beleven de wereld vanuit hun eigen kader. Emma en Alec verzuchten ook graag dat zij de geschiedenislessen op school zo saai vinden. Maar het is maar net hoe je het brengt. Als ik ze onderweg in de auto of 's avonds in bed spannende verhalen vertel over de heksenvervolgingen of de goden van de Germanen, dan zitten ze ademloos te luisteren. Van heel veel voorwerpen of gebeurtenissen kun je een leuk leermomentje maken. Zo kreeg ik van Richard voor mijn verjaardag de beroemde Trinity-ring van Cartier. Nadat ik hem had uitgepakt, vertelde ik aan Emma en Alec enthousiast het achterliggende verhaal, en dat deze ring al in 1917 is ontworpen. 'Wauw,' concludeerde Alec, 'wat zullen ze blij zijn dat ze hem eindelijk hebben verkocht.'

Lekker in bad

Een douche vind ik een noodzakelijk ding, maar een bad is voor mij een bron van rust en ontspanning: er gaat niets boven de behaaglijke omarming van warm water. Ik vond het dan ook leuk om te lezen dat na jaren van powerdouches (met harde stralen), regendouches (met grote kop) en belevenisdouches (met geur en geluid) de traditionele badkuip weer in de mode is. Heerlijk! Ik heb thuis al jaren een heel badritueel, waarbij ik eerst de lichten dim, mijn handdoek alvast over de verwarming hang en vervolgens de douche even flink heet aanzet voor een wolkje stoom. Dan nog een geurkaars en een ontspannings-cd'tje – en hopen dat Richard niet onverwachts binnenkomt. Want met een welgemeend: 'Wat is het hier donker!' knipt hij meteen de halogeenspotjes weer aan. Mannen hebben op dit gebied toch een heel andere bedrading. Zo lag ik eens op bed te genieten van een ontspannings-cd'tje met kabbelende bergbeekjes, toen Richard de slaapkamer binnenkwam. Even stond hij verbaasd stil en toen verzuchtte hij geïrriteerd: 'Nee hè, loopt de wc weer door?' Ik heb ook geleerd dat het beter is om eerst mijn kinderen naar bed te brengen en daarna pas in bad te gaan. Anders word ik tijdens mijn meditatieve onderdompeling voortdurend lastiggevallen met prangende vragen als: 'Mamaaaa, is een zebra eigenlijk een wit dier met zwarte strepen of een zwart dier met witte strepen?'

Ik zat als kind al graag in bad, maar het kwam er niet vaak van. Wij hadden thuis namelijk geen al te grote boiler dus wanneer iemand een bad nam, bleef er voor de rest van de dag weinig warm water over. Om iedereen te kunnen laten douchen, kregen mijn broer en ik een eierwekker mee. Dat vonden we tamelijk armoedig – maar o wee als we er wat van zeiden. Dan stak mijn moeder een preek af dat we blij moesten zijn dat we überhaupt een douche hádden, omdat zij het in haar jeugd met een wasteil had moeten doen. Dat maakte destijds net zo weinig indruk als de combinatie 'Denk maar aan de arme kindjes in Afrika' met een bord spruiten voor je neus. Tegenwoordig vind ik zulke verhalen wél interessant, omdat ik me realiseer hoe kort het eigenlijk nog maar geleden is, en hoeveel luxe wij vandaag de dag als normaal ervaren. Mijn moeder kreeg pas op haar veertiende een douche in huis; tot die tijd gingen zij en haar vijf broers en zussen achter elkaar in dezelfde teil. Daarna kregen ze één setje ondergoed tot de volgende wasbeurt. Mijn vader woonde op een boerderij in Zuid-Limburg. Hun onverlichte wc stond buiten en je moest 'm met een emmertje water doorspoelen. Op een spijker hingen repen oude kranten, als wc-papier. Ieder zaterdagavond werden mijn vader en zijn vijf broers en zussen eveneens in een tobbe onder handen genomen met groene zeep. Ondanks de uitvinding van de shampoo wilde mijn oma daar lange tijd niets van weten. Een zeep speciaal voor de haren? Dat klonk naar stadse verkwisting.

Zo was Nederland eind jaren veertig, begin jaren vijftig. En dan te bedenken dat de Romeinen tweeduizend jaar geleden al een complete badcultuur bezaten, met publieke en private badhuizen vol warme en koude dompelbaden, stoombaden met kruiden en verwarmde lounges waar je kon eten, debatteren en zelfs (zo blijkt uit opgegraven graffiti) copuleren. De Romeinen schreven ook over de badgewoontes van de Scythen. Dit nomadenvolk zat graag bloot in tipi's met gloeiende stenen waar ze niet alleen water op gooiden, maar ook cannabiszaden. Geen wonder dat baden als geestverruimend werd gezien! In de Middeleeuwen was baden nog steeds een sociale aangelegenheid: in de badhuizen werd volop gemengd gebaddderd, waarbij de vrouwen vaak volledig gekapt en met juwelen behangen in het water stapten. De mannen hielden meestal hun hoed op, en er werd urenlang gelachen, gegeten en gedronken. De vele pestepidemieën brachten het gemeenschappelijke baden echter tot een einde. Het wassen van het lichaam werd steeds meer iets persoonlijks, al zie je aan de populariteit van de sauna dat mensen er nog steeds graag een gemeenschappelijke ervaring van maken.

Die behoefte heb ikzelf nooit gehad – ik ga het liefst alleen in bad. Dan heb ik mijn eigen natje en droogje, met een boek en een glaasje drinken. En vooral géén kinderen in het water die zeggen: 'Kijk mama, ik kan bubbels maken met mijn billen!'

Agressieve vrouwen

'We gaan voortdurend door het lint,' las ik vorige week in De Tele-graaf. Uit een publieksenquête van onderzoeksbureau Trendbox was gebleken dat 93% van de Nederlanders vindt dat we veel te snel over de rooie gaan. Mensen steken steeds vaker hun buren overhoop bij geluidsoverlast, draaien compleet door in het verkeer en gaan el-kaar te lijf wanneer ze het gevoel hebben dat iemand voordringt bij de kassa. Voor dit soort geweld is zelfs al een nieuwe term bedacht: korte-lontjescriminaliteit. Hoewel het op zichzelf al erg genoeg is, komt daar de laatste tijd nog een verontrustende factor bij: de agres-sor, zowel thuis als op straat, blijkt steeds vaker een vrouw te zijn. Of een meisje. Wat is dáár toch mee aan de hand? Meisjes die klas-genootjes in elkaar slaan. Meisjes die willekeurige voorbijgangers aanvallen om dit te filmen met hun mobiele telefoon. Een agent die gewond raakt bij de aanhouding van een agressief meisje. De lijst met krantenartikelen is eindeloos. Vrouwen zijn tegenwoordig bij een kwart van de gewelddadige aanvallen betrokken. Hoe is het zo-ver gekomen?

Bij kinderen die rond de anderhalf jaar oud zijn, zie je dat het ni-veau van fysieke agressie ongeveer even groot is: 90% van de jongens en 80% van de meisjes vervalt in conflictsituaties tot bijten en knij-pen, schoppen en slaan. Maar hoe ouder ze worden, hoe meer er een tweedeling begint te ontstaan. Jongens gaan gewoon door met het gebruik van fysiek geweld, terwijl meisjes zich toeleggen op andere manieren van ruziemaken. Niet dat deze manieren veel beschaafder zijn. Iedereen die weleens het slachtoffer is geworden van typisch 'meidenvenijn' (negeren, roddelen, belachelijk maken, pesten via Hyves of MSN, kliekvorming of buitensluiten) weet dat dit enorm ondermijnend kan zijn. Toch hadden de jongedames hier blijkbaar niet genoeg aan, want de afgelopen tien jaar zijn de meisjes letterlijk om zich heen gaan slaan. Ze hebben immers geleerd dat ze assertief moeten zijn. Sterk. Zelfverzekerd. En ze verdienen r-e-s-p-e-c-t. De nieuwe vrouwelijke helden (zelfs die in kinderseries als *Winx* en *Totally Spies*) kunnen dan ook knokken als de beste. Hermelien Griffel, het brave vriendinnetje van Harry Potter, oogstte luid gejuich in de bioscoop toen zij Draco Malfidus met een vuistslag tegen de grond sloeg.

Inmiddels is een hele generatie opgegroeid die denkt dat het normaal is om te praten met je vuisten: 'Ben je bitch niet!' Volgens cultuursocioloog Gabriël van den Brink, schrijver van het boek *Geweld als uitdaging*, is ons huidige opgeblazen gevoel van eigenwaarde het grootste struikelblok. Omdat iedereen zichzelf geweldig vindt, verdraagt bijna niemand nog kritiek. Het kleinste incident wordt daardoor al snel gezien als een persoonlijke aanval. Mensen zijn voortdurend gekrenkt in hun trots, en dat uit zich in een dagelijkse tsunami aan kantoorwoede, verkeerswoede en internetwoede. Wat mensen – vrouwen voorop – er allemaal uit kotsen op internet tart werkelijk iedere beschrijving. Een parkeerplaats, een onwelgevallig tv-programma, een buurman die gitaarspeelt, álles is tegenwoordig een aanleiding om compleet uit je dak te gaan. Maar wat levert het nu eigenlijk op? Wat begint met woede, eindigt meestal in schaamte. Of denk anders eens aan die oude keukentegel: wanneer je iemand anders z'n kaars uitblaast, gaat die van jou niet helderder schijnen.

Kijken en zien

Veel vrouwen zijn ervan overtuigd de ze meer oog voor detail hebben dan mannen. Niet dat dat heel moeilijk is. Zo presenteerde ik vorige maand de live finale van *Benelux' Next Top Model*. In een reclameonderbreking ergens halverwege de show, trok ik snel mijn zilvergrijze avondjurk uit, en verwisselde die voor een zwarte. Maar toen ik na afloop van het programma aan Richard vroeg welke jurk hij het mooist had gevonden, bleek dat hij helemaal niet had geregistreerd dat ik twee totaal verschillende dingen had gedragen. Dat had ik kunnen weten want het oude trucje: 'Nee hoor schat, dit topje heb ik al heel lang,' werkt bij Richard al jaren. En niet alleen bij hem. De meeste mannen registreren nauwelijks wat een vrouw aanheeft. Hoewel uit onderzoek is gebleken dat de bloeddruk van een man wel degelijk reageert op golvend haar en hoge hakken, kan hij zich met de beste wil van de wereld niet herinneren wát dat dan voor hakken waren. Hoe langer de benen, hoe korter het geheugen – zoiets zal het wel zijn. Nee, dan vrouwen. Die hebben daar maar één oogopslag voor nodig: dat zijn hakken uit de Jimmy Choo-collectie van H&M. Met een glitterjasje van de Mango. Maatje te klein, dat wel. 'Ja-haaa,' verzuchtte Richard, 'vrouwen registreren dan misschien wel alles, maar ze waarderen niks!'

Tja, daar kan ik hem helaas geen ongelijk in geven. Vrouwen gedragen zich op feestjes niet zelden als de modedouane: alle aanwezigen gaan door de bodyscanner. En signaleert de douane een gedateerd jurkje ('Kijk nou, zó vorig seizoen'), een iets te strakke broek ('Is haar spiegel soms kapot?') of een uitbundig decolleté ('Wordt ze daar niet een beetje oud voor?'), dan wordt de draagster genadeloos gefileerd. Volgens een vriend van mij komt dat omdat vrouwen van oudsher op uiterlijk met elkaar moesten concurreren. Dat zal best zo zijn, maar mannen concurreren ook – alleen anders. Ze zeggen weleens dat vrouwen zich aankleden voor andere vrouwen, maar daar zou ik tegenover willen stellen dat mannen gadgets kopen voor andere mannen. Waar vrouwen samendrommen rond de nieuwste tas van Balenciaga, groeperen mannen zich rond de nieuwste iPhone 3GS 32GB. Mensen zien nu eenmaal wat ze wíllen zien. Ze registreren alleen datgene waar hun interesse naar uitgaat. En bij mannen is dat inderdaad niet de kleding – want die gaat straks toch uit, hopen ze.

Maar hebben vrouwen nu écht zoveel meer oog voor detail? Nee, blijkt uit een geestig psychologisch onderzoek naar waarneming. Wetenschappers stuurden een 'toerist' de straat op, die met een plattegrond aan voorbijgangers de weg moest gaan vragen. Terwijl zo'n voorbijganger de route stond uit te leggen, liepen er 'toevallig' twee werklui met een ondoorzichtige plaat tussen de toerist en de proefpersoon door. Dit moment werd gebruikt om de toerist te vervangen door iemand anders met dezelfde kleren aan. Wanneer de werklui waren gepasseerd, gingen alle proefpersonen gewoon door met het uitleggen van de route – mannen én vrouwen. Viel het dan niemand op dat daar een geheel ander mens stond? Nee. Zelfs toen de onderzoekers nog een stapje verder gingen en hun toerist ook nog andere kleren aantrokken, werd de verwisseling nagenoeg door niemand opgemerkt.

Hoewel ik mezelf graag wijsmaak dat het mij wél was opgevallen, denk ik dat de realiteit anders is. Er blijkt namelijk een groot verschil te zijn tussen kijken en zien. De meeste mensen blijken een groot deel van de dag door te brengen op de automatische piloot. Heb ik nu wel of niet mijn auto op slot gedaan? En wie staat er eigenlijk voor me? We hebben wel gekeken, maar we hebben het niet gezien. Iedereen kent het irritante fenomeen dat iemand op een feestje zogenaamd met jou staat te praten, terwijl hij in werkelijkheid alleen maar over je schouder staat te loeren of er niet ergens een betere gesprekspartner voorhanden is. Zo werkt het helaas ook in relaties. Zeker in de midlifecrisis zien geliefden elkaar letterlijk niet meer staan, en gaan rusteloos om zich heen kijken. Maar aan het begin van dit nieuwe jaar is het misschien goed om je te realiseren dat je helemaal geen nieuwe liefde, nieuwe baan of zelfs een heel nieuw leven nodig hebt. Kijk eerst eens met 'nieuwe' ogen, en verras jezelf met wat je ziet.

Eten en daten

Op de Amerikaanse site AskMen.com krijgen mannen allerhande advies over vrouwen, seks en daten. De site is behoorlijk seksistisch van toon, maar dan wel met een flinke knipoog. Al die 'wijze raad' is erg leuk om te lezen, omdat het een onthullend kijkje geeft in het brein van de gemiddelde man. Daar blijkt een intense onzekerheid te heersen over hoe te versieren, wat te zeggen en waar vooral níét aan te zitten. Neem bijvoorbeeld de lijst van dingen 'die je beter niet kunt eten tijdens een eerste date'. Zo vindt AskMen het niet zo chic om tijdens een eerste afspraakje langs de McDonald's te gaan. Dat maakt volgens hen een goedkope indruk en de plastic tafeltjes zijn niet bepaald het toonbeeld van romantiek. Je kunt beter naar een echt restaurant gaan, schrijven ze, maar daar moet je vervolgens geen soep bestellen, 'want die kun je niet cool eten'. Je mag ook geen melk drinken, want dan zou ze kunnen denken dat je een moederskindje bent. Een man mag van AskMen sowieso 'niets van het kindermenu bestellen', zoals vissticks. En vanille-ijs als toetje? Te saai voor woorden.

Je hoeft ook niet duur te doen door kreeft te nemen: als je hem niet open krijgt, sta je voor schut. En als je hem wel open krijgt, stink je naar vis. Maïskolven zijn eveneens uit den boze. De gele vliesjes blijven tussen je tanden zitten, en peuteren met het scherpe randje van de menukaart is géén goed idee. Pittige gerechten kunnen ook beter achterwege blijven, anders zit je daar met zo'n bezwete kop. Volgens AskMen zijn taco's 'misschien wel de beste uitvinding sinds het kruisloze slipje', maar helaas niet geschikt voor een eerste date. Je moet er namelijk behoorlijk je aandacht bij houden, anders druipen de guacamole en de zure room langs je handen en je kin naar beneden. Daar komt nog bij dat de bruine bonen het romantische verloop van de avond in de weg zouden kunnen staan. De grootste afknapper blijkt echter de maaltijdsalade. Wanneer je dat als man bestelt, lijk je gierig, blut of aan de lijn. Zegt AskMen. Volgens hen moet je sowieso *nooit* minder eten dan je vrouwelijke tafelgenoot, want die hebben daar naar verluidt een gruwelijke hekel aan.

Hoewel het fijn is dat zij de heren enig decorum proberen bij te brengen, denk ik dat AskMen een belangrijk punt over het hoofd ziet. Mij zou het namelijk niet uitmaken of iemand een glas melk bestelt of mais tussen zijn tanden krijgt. Dat vind ik juist aandoenlijk. Maar wanneer een man tijdens een eerste date uit de hoogte doet tegen de ober, opschept over zijn wijnkennis en het hele diner over zichzelf zit te tetteren – dat is wél irritant. Een vriendin van mij had laatst een blind date, en terwijl ze kwam aanrijden bij het restaurant, zag ze hoe haar tafelgenoot zijn autodeur opendeed om zijn volle asbak plus nog wat andere rotzooi op de parkeerplaats te dumpen. 'Ik wilde gelijk omdraaien,' zei ze de volgende dag tegen me. Ik begrijp haar volkomen. Waar moet je nou met zó iemand nog over praten? Vrouwen kijken helemaal niet naar wat er in je mond gaat. Het interesseert ze vooral wat eruit komt.

Groene seks

Het nieuwe jaar is nog maar net begonnen of de negativiteit is ook alweer van start gegaan. Afgelopen woensdag was het Driekoningen; hét teken dat het tijd wordt om de kerstboom de deur uit te doen. Nu heb ik een kunstboom, dus die zet ik ieder jaar zo – hopla – met lichtjes en al op zolder. Ik dacht altijd dat ik hiermee duurzaam bezig was, omdat er voor mij geen boom gekapt hoeft te worden. Hij hoeft ook niet te worden verbrand, dus dat scheelt al weer een stukje CO_2-uitstoot. Maar nu heeft iemand uitgerekend dat je een kunstboom minimaal zeventien jaar moet gebruiken voordat hij daadwerkelijk 'groen' rendement oplevert. Gelukkig heb ik hem al vijf jaar dus ik hoef nog maar twaalf jaar te wachten voordat ik een beetje eco bezig ben. Ik zat er ook serieus over te denken om een elektrische auto te kopen, totdat ik in een wetenschapskatern las dat de bijbehorende accu's een groot probleem kunnen gaan worden voor het milieu. Wat – echt?

En niet alleen dat: als heel veel mensen elektrisch gaan rijden, dan moeten de vervuilende kolencentrales in ons land overuren gaan draaien om al die energie op te wekken – of we moeten overstappen op kernenergie. Maar is dát dan wat we willen? En is dit allemaal wel waar? Ik word er zo moe van. Ben ik de enige die terugverlangt naar de tijd waarin niet voor ieder onderzoek een tegenonderzoek werd gelanceerd? Maar 2010 is nog maar net een week oud en we hebben de 'jaren nul' nu officieel achter ons gelaten, dus ik wil vooral positief beginnen. Er zijn namelijk ook léúke onderzoeken die dingen ontkrachten waarvan ik altijd heb gedacht dat ze waar waren. Zo is bijvoorbeeld uit langdurig wetenschappelijk onderzoek gebleken dat kinderen niet hyperactief worden van snoep. Wanneer ze zich drukker gedragen rond Sinterklaas, kerst of een verjaardag, heeft dat meer te maken met de opwinding over het feest zelf dan met hun suikerconsumptie. Zo, dat scheelt al weer een schuldcomplex voor de moderne ploetermoeder die overal op aangekeken wordt.

En nu we toch bezig zijn: volgens het sportblad *Bodytalk* is aangetoond dat warme chocomelk na het sporten effectiever is dan een energiedrankje. Ha, dacht ik het niet! Ik zeg: op naar de koek-en-zopiestand voor een gezonde coolingdown. En al die liters water drinken, dat hoeft ook niet meer. Want inmiddels is bewezen dat al dat extra fleswater niks extra's voor je gezondheid doet. Zuivert het je lichaam? Welnee, dat doen je nieren toch wel. Val je ervan af? Nee, helaas niet. Krijg je er een schonere huid van? Ook een fabeltje. En het leukste is nog: het Nederlandse kraanwater is van bronwaterkwaliteit, en dat voor de prijs van 0,15 cent per liter. Nee, er zit geen chloor in en fluor wordt al dertig jaar niet meer toegevoegd. Maar het komt gewoon uit de kraan en niet uit al die vervuilende petflessen. Toegegeven: ordinair kraanwater is minder aanlokkelijk dan zo'n designwaterfles à €9.95 per 0,75 l. Zijn er dan geen verléídelijke groene tips? Jazeker wel: winterseks blijkt goed te zijn voor het milieu, want met al die wrijving heb je geen elektrische deken nodig. Beetje chocomelk – en dóór!

Liplezen

Ik zat laatst te lachen boven een overzicht van alle ongunstige modetrends van de afgelopen tien jaar (camouflagebroeken met hakken; hardroze fluwelen joggingpakken; indianen mukluks met pompoms – ik kan niet geloven dat ik het écht gedragen heb) toen Richard opeens zei dat de huidige trends heus niet veel beter zijn, 'want vrouwen dragen wel vaker dingen die mannen niet begrijpen of ronduit lelijk vinden'. Oja – wat dan bijvoorbeeld? Daar hoefde Richard niet lang over na te denken: 'Uggs!' Komt-ie een beetje laat mee; ik heb drie paar van die schapenwollen laarzen. Echt heel mooi vind ik ze niet, maar ze zitten zo lekker en je voeten blijven heerlijk warm. Onder een skinny jeans vind ik ze best leuk staan – maar daar zijn veel kerels het absoluut niet mee eens. Toen ik mijn mannelijke vrienden en collega's vroeg welke populaire vrouwenkleding zij onbegrijpelijk vonden, riepen ze steevast als eerste: 'Uggs!' Ze vinden dat je er lompe klompvoeten van krijgt. En dat niet alleen: omdat de laarzen het voetbed geen enkele steun geven, zakken heel wat draagsters naar binnen of naar buiten, wat een bijzonder oncharmant effect geeft.

Oké, de vlag gaat dus niet omhoog van schapenwollen laarzen. Verder nog klachten? Ja. Harembroeken. 'Waarom zou je iets dragen wat op een natte luier lijkt?' vroeg een van mijn vrienden. Tja. Geen idee. De winkels hingen vol met die MC Hammer-lappenzakken. Ik heb ze geprobeerd; hakken eronder, strak topje erop. Maar er was iets ongemakkelijks aan. En opeens wist ik het. Kort vóór je moet bevallen, daalt de baby in en heb je het gevoel alsof je met een bowlingbal tussen je benen loopt. En dát had ik met die harembroeken ook: er bungelde iets. Dus dat ben ik met de heren eens. Maar mannen blijken ook niks te snappen van handtassen. Daar valt ook eigenlijk niks aan te snappen. Mannen houden van gadgets met veel nummers; vrouwen houden van hebbedingen met een eigen naam.

Voor mannen is het allemaal 'tas' of 'grote tas,' maar voor ons is het de Hermès Birkin, de Fendi Spy Bag of de Chloe Paddington. (Dit werkt ook andersom. Voor vrouwen is een Sony DVP-NS78B gewoon een 'dure dvd-recorder' en de LG DVX492H een 'niet zo dure'.)

Nog meer grieven van de heren? Grote vormeloze truien; kipfilets in je bh; schoudervullingen en leggings. Of beter gezegd: te strakke leggings en broeken waarin je kunt liplezen. Mannen vangen graag een glimp op van de mogelijkheden, maar níét in de vorm van een kamelenteen. Nee, dat snap ik. Vrouwen zien ook niet graag een man in een notenkraker. Maar met al die strakke broeken van nu is het nog een hele kunst om de spaarpot uit de jeansnaad te houden. En daarbij: mannen hebben vrouwen wijsgemaakt dat je op een kortgeschoren *fairway* beter speelt dan in de *rough* – om even in Tiger Woods-termen te blijven. Een stevige Bridget Jones-onderbroek zou de kale *punani* het beste verhullen, maar die wordt meestal niet op prijs gesteld. Een kanten slipje leidt echter onherroepelijk tot een spleethoef, dus wat te doen? 'Gelukkig' is er sinds kort de Cuchini, een plastic inlegschildje tegen liplezen. Het wachten is nu op de wintervariant met schapenwol, de Vuggs.

Wippende paashazen

Pas geleden schreef ik een column over kledingstukken die vrouwen graag dragen maar die mannen niet echt kunnen waarderen. Drie keer raden waar het vandaag over gaat! Vrouwen hebben namelijk ook nog wel wat aanmerkingen als het gaat over de manier waarop mannen zich kleden. Wat willen vrouwen liever niet meer in het straatbeeld zien? Met stip op één: mannen in skinny jeans. Ja, ik weet dat de modieus-ongewassen gasten van de Hollandse Britpopindieband Moke graag zwarte skinny's dragen, maar zij worden dan ook gekleed door Karl Lagerfeld. Wil jij eruitzien als Karl? Dat bedoel ik. Zo'n ballenknijper was alleen (soort van) leuk op Jon Bon Jovi – in de jaren tachtig. Als mijn geheugen me niet bedriegt, dan propte Jon geregeld een geitenwollen sok in zijn voorportaal; iets wat al helemáál niet voor herhaling vatbaar is. Tijdens mijn modellencarrière heb ik vaak lingerie- en badmodeproducties gedaan. Toen heb ik met eigen ogen gezien dat mannelijke modellen niet zelden een flinke schoudervulling in hun slip deden.

Dit was niet alleen om na toiletbezoek het eventuele nadruppelen op te vangen, maar vooral ook om de zaak wat volumineuzer te laten lijken. Buiten de fotostudio zou ik dit echter geen enkele man willen aanraden. Vorige week schreef ik dat de heren geen fan zijn van kipfilets in bh's. Welnu – vrouwen zijn ook geen fan van valse voorlichting. Heidi Klum vertelde vorig jaar bij *Oprah* dat ze op slag verliefd werd op Seal toen ze hem in een strak wielrenbroekje de lobby van een hotel zag binnenkomen. Stel je voor dat daar vervolgens een schoudervulling uit was komen rollen! Niet doen, mannen. Net als een trui in je broek stoppen. Dat kan écht niet meer, vooral niet in combinatie met een dun riempje. Of witte sokken! Witte sokken in gewone schoenen, witte sokken in instapmuilen, witte sokken in blauwe badslippers, witte sokken in sandalen – het ziet er allemaal niet uit. Dat geldt ook voor een man die zijn broek te hoog optrekt, of hem juist veel te laag heeft hangen. Dat is niet *gangsta*, dat doet pijn aan de ogen. Net als een gouden ketting over een hooggesloten bloes, of nog erger: over een coltrui.

Is er nog meer? Helaas wel. Alles van de lawaaierige designer Ed Hardy. Glimmende overhemden die te ver openstaan. Maffe stropdassen met wippende paashazen, wietrokende kabouters of pianotoetsen. Onderbroeken met cartoonfiguren zoals Tweety ('Ik dacht dat ik een poessie zag!'). En ze schijnen nog te bestaan: mannen die hun haar over een kale plek kammen. Of kalende mannen bij wie het haar alleen nog in de nek groeit, en die dat dan samenbinden in zo'n rattenstaartje. Wat ook lustverlagend werkt, zijn enge dunne ringbaardjes, getrimde geitensikjes en vlassige uitgroeiseltjes met vlechtjes en kraaltjes (ook gij, Brad Pitt). En natuurlijk t-shirts met puberale teksten, zoals: 'Heb ik hier mijn ballen voor geschoren?' en 'Zuig maar door, ik heb genoeg!' Ik kan me niet voorstellen dat mannen serieus denken dat vrouwen dit grappig vinden. Al moet ik één uitzondering maken. Ik zag ooit een Amerikaanse motorrijder met de volgende briljante tekst op de rug van zijn shirt: 'If you can read this, the bitch fell off'.

Schwanz

Een tijdje terug speelde ik met de gedachte om een elektrische auto te gaan kopen, maar inmiddels heb ik gelezen dat ik het niet helemaal goed begrepen heb. Professor Sir David King, een van de belangrijkste klimaatwetenschappers uit Engeland, heeft namelijk gezegd dat vrouwen de opwarming van de aarde kunnen tegengaan door mannen in sportauto's niet meer sexy te vinden. Ze moeten hun aandacht verleggen naar verstandige ecojongens in een Toyota Prius, want een man die zuinig is met energie verdient meer bewondering dan zo'n proleet met een v8-motor. Aha. En ik maar denken dat je als vrouw met je éígen autokeuze iets kunt bijdragen aan het milieu. Maar nee hoor, vrouwen moeten vooral zorgen dat mánnen de juiste aanschaf doen, door niet meer gewillig voorover te buigen over een motorkap. Of zoiets. Sir David King zal best veel weten over de opwarming van de aarde, maar hij mag nog wel wat bijgespijkerd worden over de opwarming van de vrouw. Blijkbaar gelooft deze wetenschapper nog steeds in het oude cliché dat vrouwen opgewonden raken van mannen in sportauto's.

Natuurlijk zijn er genoeg vrouwen die sportauto's mooi vinden; ik ben er daar één van. Maar a) koop ik hem liever zelf en b) vind ik het nog nét iets belangrijker wie er achter het stuur zit. Vrouwen redeneren echt niet in de trant van: 'Ugh, wat een lelijkerd, maar wát een geile kalfslederen kuipstoelen.' Daniel Craig rijdt als James Bond in een vette sportwagen maar hij mag mij ook komen ophalen in een Toyota Prius, hoor. Al komt-ie met een bakfiets voorrijden. Wat – ik ga hem zelfs halen bij de bushalte! Wat ik bedoel te zeggen, Sir David, is dat mijn poolkappen heus niet gaan smelten van paar simpele pk's. Onzin, zeggen weer andere onderzoekers. Het effect dat ronkende motoren op vrouwen hebben, is immers officieel onderzocht. Echt? Nou dat weer. Uit bloedonderzoek is gebleken dat het testosteronniveau van zowel mannen als vrouwen significant omhooggaat bij het luisteren naar motoren van sportauto's. Bij vrouwen werd de grootste sprong veroorzaakt door het geluid van een Maserati, terwijl mannen het hevigst reageerden op een Lamborghini.

Het stijgen van testosteron wordt geassocieerd met seksuele opwinding, en 'dus' was de conclusie dat vrouwen wel degelijk getriggerd worden door dure racemonsters. Ja, ja. Je testosteron stijgt ook van een schrikreactie – die je ongetwijfeld krijgt wanneer je naast een brullende motor staat. Dus hoe zit het nu écht met auto's en seks? Ook dat is onderzocht; het zullen de donkere wintermaanden wel zijn. Het blad Men's Car ondervroeg 2253 mannen en vrouwen tussen de twintig en vijftig jaar, en kwam tot de conclusie dat BMW-bezitters de meeste seks hadden met 2.2 keer per week, op de voet gevolgd door Audirijders met 2.1 per week. Volvorijders hadden met 7.9 minuten de langste seks, en bezitters van Italiaanse auto's waren met een schamele 4.9 minuten het snelst de bocht om. En wie hadden de minste seks? De Porscherijders; die boemelden helemaal onderaan met 1.3 ritjes per week. Geen wonder dat ze zo'n sportwagen in Duitsland een *Schwanzverlängerer* noemen. Met een indrukwekkende carrosserie moet niet zelden een heel klein versnellingspookje worden gemaskeerd.

Lekker schoon

Op tv draait een commercial van een desinfecterend product, waarin ze het gezinsleven uitbeelden als één groot spookhuis van gevaarlijke bacteriën. Ik word daar altijd een beetje ongemakkelijk van. Aan de ene kant weet ik dat het overdreven is, maar aan de andere kant wil ik niet dat mijn kinderen de vliegende vinkentering krijgen omdat mama niet kwistig genoeg met bleekwater heeft gestrooid. De kranten staan vol met enge verhalen over vogelgriep en varkenspest, Mexicaanse griep en Q-koorts, E. coli en vleesetende ziekenhuisbacteriën. Maar ook binnenshuis loert het gevaar. Ziekmakers houden zich schuil in vieze vaatdoekjes, kruipen stiekem onder de wc-bril en nestelen zich tussen de haren van je hond. Tenminste, dat beweren al die commercials. Desinfecteren moet je! Ontsmetten, reinigen en het nieuwe toverwoord: zuiveren. Maar wat is nu eigenlijk 'schoon'? De toiletten op Schiphol zijn véél schoner dan de operatiekamers die ik in Burkina Faso heb gezien. En toch zeg ik altijd heel mutsig tegen Emma en Alec wanneer ze op het vliegveld hun handen wassen: 'Pak maar niks vast hoor!'

Ik vrees dat wij westerlingen inmiddels behoorlijk zijn doorgeslagen met onze obsessieve drang naar het uitbannen van bacteriën. Zo heb ik tegenwoordig drie 'zuiveringsmomenten' op mijn aanrecht staan: een pompje met gewone zeep, een flesje met desinfecterende zeep en een flacon met ontsmettende gel. Maar waarom eigenlijk? Ga ik een openhartoperatie op mijn keukentafel doen? Hygiëne is een groot goed, maar we draven een beetje door. Al die agressieve reinigers doden namelijk ook de góéde bacteriën, en die hebben we juist nodig. Zonder dat we het (willen) beseffen, bevat ons lichaam miljarden virussen, bacteriën, ongevaarlijke parasieten en microben. De meeste van die beestjes bevinden zich in de darmen, waar ze ons helpen met het verteren van eten en het verwerken van voedingsstoffen. Maar de micro-organismen doen nog meer. Microben in het spijsverteringssysteem produceren bijvoorbeeld vitamine K, die we nodig hebben om ons bloed goed te laten stollen.

Natuurlijk moet je je handen wassen wanneer je naar het toilet bent geweest, en moet je de snijplank goed schoonmaken wanneer je rauwe kip hebt gesneden. Maar met lauwwarm kraanwater en een gewoon stuk zeep ben je er al; huishoudelijke bacteriën hoef je echt niet met grof geschut te bestrijden. Liever niet zelfs, want dan zullen de sterkste overleven – met alle ellende van dien.

Maar de angst voor vuiligheid gaat verder dan het vieze vaatdoekje. De laatste jaren lijkt er een vreemd soort afkeer voor het eigen lichaam te zijn ontstaan. Dat moet namelijk 'ontgift' worden met een detoxkuur, 'gereinigd' met een darmspoeling of 'ontslakt' door te sapvasten. Maar vóór je een slang in je kont steekt, is het misschien goed om te weten dat Moeder Natuur met de lever, de nieren en het darmstelsel al een onovertroffen detoxmethode in de markt heeft gezet. Stoppen met roken, weinig alcohol drinken, minder junkfood eten, en voilà: je 'ontgifting' is gratis in gang gezet. Had ik dit allemaal maar veel eerder geweten; dan had ik niet zo hysterisch met snoetenpoetsers achter mijn kinderen aan gerend. En zo krijgt mijn moeder toch (weer) gelijk. Haar poetsmotto was immers: 'Schoon genoeg om gezond te zijn, en vies genoeg om gezellig te zijn'.

Op z'n Grieks

Mijn dochter Emma heeft voor haar middelbare school een gymnasiumadvies gekregen, en ze zit er serieus over te denken om Latijn en Grieks te gaan nemen. 'Jij kunt daar altijd zo leuk over vertellen,' zei ze dromerig. O jee – straks heb ik het nog gedaan. Want ik heb vroeger inderdaad met veel plezier de klassieke talen gevolgd, maar zéker niet vanwege de ingewikkelde grammatica of de irritante zinsontleding. Ik was vooral dol op de mooie verhalen, de spannende mythes en de prachtige overblijfselen. Het is nog altijd een droom van mij om eens naar Pompeï te gaan; zeker nu ik laatst op Discovery Channel heb gezien dat de boel in elkaar aan het storten is door onvoldoende bescherming en pissende zwerfhonden. Het is toch wat, als je erover nadenkt. Pompeï is al een keer verwoest door lavastromen uit de Vesuvius, en tweeduizend jaar later dreigt het wederom ten onder te gaan, maar deze keer aan begrotingstekorten en mismanagement. Mensen zeggen steeds vaker: 'Wat heb je eigenlijk nog aan die dode talen?' maar het is juist de roemrijke geschiedenis die de Klassieke Oudheid voor mij zo levendig maakt.

Wanneer je over het Forum Romanum loopt, waan je je in een soort Atlantis: tussen de tastbare bewijzen van een verdwenen beschaving. De bakermat van de democratie, de grondleggers van het theater, van de wetenschap en de cultuur, hartstochtelijke liefhebbers van poëzie en seks. Wat – seks? Jazeker. Toen de Engelsen in de negentiende eeuw vol enthousiasme begonnen aan de opgraving van Pompeï, deden zij dat uit respect voor de zeer hoog aangeschreven Romeinse cultuur. De victorianen waren dan ook behoorlijk gechoqueerd toen een grote hoeveelheid seksueel getinte voorwerpen letterlijk uit de as herrezen. Er werd al snel besloten dat het gewone volk maar beter niet geconfronteerd kon worden met de wellustige kant van de Romeinen, waarna de meest aanstootgevende objecten veilig werden opgeborgen in het 'geheime kabinet' van het Nationale Archeologische Museum in Napels. Hoewel dat geheime kabinet inmiddels allang ontsloten is, heb ik nooit geweten in welke mate seks en prostitutie dagelijkse kost waren in de Klassieke Oudheid.

Een van de meest verrassende tentoonstellingen van de laatste tijd (nog te zien tot en met april) vind ik dan ook 'Eros' in het Cycladic Art Museum van Athene. Zij hebben 272 erotische voorwerpen samengebracht in een exhibitie die een heel nieuw licht werpt op de lustbeleving van de Grieken en Romeinen. Zo bleek het in Pompeï te wemelen van de bordelen. Die waren niet moeilijk te vinden want muurschilderingen van stijve penissen, al dan niet met vleugeltjes, wezen vrolijk de weg. In de stoepen waren ook speciale trottoirtegels aangebracht met daarop eveneens mannelijke geslachtsorganen, als waren het ANWB-paaltjes. Wanneer het bordeel eenmaal was gevonden, kon men boven de deur en in de hal op zeer gedetailleerde mozaïeken precies zien welke standjes er allemaal op het seksmenu stonden. Maar ook in gewone woonhuizen werden grote hoeveelheden erotische attributen opgegraven: vazen, amfora's en schalen met afbeeldingen van groepsseks, seks met dieren, homoseksuele seks en seks met meisjes die nog akelig jong leken. Geen wonder dat de victorianen niet wisten wat ze ermee aan moesten.

Tegenwoordig kun je bijna iedere dag in de krant lezen dat onze huidige maatschappij oversekst is, en dat ouders zich zorgen maken over expliciete rapvideo's en sensuele billboards. De tentoonstelling 'Eros' heeft me echter laten zien dat het allemaal nog best meevalt: penisvormige lampen, fallusbeeldjes en seksamuletten zijn óns bijvoorbeeld bespaard gebleven. Die waren in de Klassieke Oudheid heel gewoon; seks was blijkbaar een onbekommerd, dagelijks onderdeel van een gezond en vruchtbaar leven. Eerlijk gezegd vind ik het nog steeds een beetje vreemd om al die geilheid te associëren met de erudiete Grieken en Romeinen. Maar misschien zijn wíj het wel die een verknipte kijk op seksualiteit hebben gekregen. Wij hebben er iets viezigs van gemaakt; iets wat je achter gesloten deuren doet en waar je eigenlijk niet over hoort te praten. Dus toen Emma hardop zat te dagdromen over alle feestjes waar ze op de middelbare school naartoe zou gaan (Jongens! Schuifelen!) kreeg ik het helemaal warm, en begreep ik precies waarom de preutse victorianen een geheim kabinet in het leven hadden geroepen. Maar ik begreep ook waarom het niet had gewerkt. Want je kunt wel krampachtig de deurtjes op slot houden, uiteindelijk breekt het leven er toch uit.

Hormonenkermis

Wanneer je denkt dat je verliefd bent, ben je eigenlijk verslaafd aan dopamine, norepinephrine en phenylethylamine. Dat zijn de drie verliefdheidshormonen die je lichaam koortsachtig rondpompt met maar één doel: seks. Niks romantiek, eeuwige liefde of zielsverwanten. Gepaard moet er worden, en wel nú. Wat wij onder liefde verstaan, is in werkelijkheid een explosief mengsel van chemie en psychologie, biologie en evolutie. Een vriendin van mij gaat momenteel gebukt onder een hevige dosis liefdesverdriet omdat haar vriend het na zes gelukzalige maanden tamelijk onverwacht heeft uitgemaakt. Ik herinner me helaas maar al te goed hoe dat voelt; alsof je ontploft vanbinnen. Wanneer iemand jouw liefde niet (langer) beantwoordt, moet je letterlijk en figuurlijk afkicken. Je wilt hem het liefst achternarennen. Opbellen, sms'en, aanraken, overhalen! Dat is de poëzie. Maar er is ook nog de biologie. En die zegt dat liefdesverdriet simpelweg wordt veroorzaakt door het ongewenst terugschroeven van de verhoogde concentraties dopamine, norepinephrine en phenylethylamine in je systeem.

En dat voel je. Je lichaam mist zijn dagelijkse shot en reageert met hevige emoties, trillerige handen en slapeloze nachten. Eerlijk gezegd vind ik het helemaal niet aantrekkelijk om verliefdheid te zien voor wat het werkelijk is: een kortsluiting in de hersenen. Mijn passie is toch zeker wel iets méér dan een tijdelijke neurose? Helaas niet. Neem het fenomeen 'liefde op het eerste gezicht'. Dat voelt alsof de bliksem bij je inslaat. Je kijkt iemand in de ogen en je voelt je meteen thuis; alsof je die persoon altijd al hebt gekend. En ergens klopt dat ook, want zonder dat jij je daarvan bewust bent, herkent jouw lichaam zijn geur. Met name vrouwen bezitten een zeer geavanceerd reukvermogen, dat er als een drugshond op is gericht om de juiste match te vinden. Soms hoor je mensen zeggen dat ze een bepaalde 'chemie' met iemand hebben, en eigenlijk is dat precies het goede woord. Mannen en vrouwen scheiden onbewust feromonen uit: verleidingshormonen die informatie afgeven over de beschikbare hoeveelheid testosteron en oestrogeen. Vrouwen voelen zich instinctief aangetrokken tot mannen met een heel ander immuunsysteem dan zijzelf, omdat dit genetisch gezien de beste combinaties oplevert.

Feromonen wijzen je daarbij geraffineerd de weg; je merkt er helemaal niets van dat je wordt gestuurd. Je vindt iemand gewoon waanzinnig opwindend, en het lijkt wel alsof je met onzichtbare draadjes naar hem toe wordt getrokken. Dit is precies zoals ik het zelf heb ervaren. Er is een man geweest waar ik zo verliefd op was, dat zijn huid een onweerstaanbare aantrekkingskracht op mij had. Ik vond het heerlijk om aan hem te ruiken en in zijn hals te snuffelen. Het feit dat ik hem 'wel op kon eten' vond ik destijds het toppunt van romantiek, maar nu besef ik dat ik niet alleen werd verleid door zijn stoute ogen maar hoogstwaarschijnlijk ook (of misschien wel vooral) door zijn feromonen. Achteraf gezien paste hij namelijk helemaal niet bij mij, maar Moeder Natuur is niet bijster geïnteresseerd in langlopende contracten. Haar bedwelmende cocktail van dopamine, norepinephrine en phenylethylamine blijft drie jaar in werking, en daarna valt het chemische fabriekje stil. Dan staat de zaak op de rit, is de borstvoeding voorbij, kan het kindje lopen – en is zowel vader als moeder biologisch gezien klaar voor de volgende beneveling.

Maar dan blijkt een mens toch méér te zijn dan een drugshond die hijgend op zoek gaat naar een nieuwe koffer om in te duiken. Wij wíllen graag trouw zijn, al druist dat volkomen tegen onze dierlijke afkomst in. Onder invloed van verliefdheidshormonen wordt je blik behoorlijk vertroebeld. Zodra de dopamine is uitgewerkt, blijkt de geliefde vlinder niet zelden een doodgewone rups. Gelukkig heeft je lichaam nog een paar andere hormonale slimmigheidjes achter de hand. Met de aanmaak van extra endorfines, die zorgen voor gevoelens van ontspanning en veiligheid, en een flinke dosis oxytocine, wat verantwoordelijk is voor verbondenheid en hechting, kan de rozebrilverliefdheid in veel gevallen uitgroeien tot een volwassen liefde. Helaas is deze hele hormonenkermis geen foutloze onderneming. Soms word je gewoon keihard gedumpt; feromonen of niet. Maar terwijl je hart nog in duizend stukjes ligt, ruikt je immuunsysteem al nieuwe kansen. Of, zoals een wijze keukentegel het zegt: je komt over de één onder de ander.

Donker

Emma en Alec gaan momenteel door een fase waarin ze weer bang zijn voor het donker. Jaren geen last van gehad, maar opeens is het er weer. Ik denk dat de aardbeving in Haïti daar grotendeels schuldig aan is, want voor mijn kinderen kwam het letterlijk als een schok dat zoiets vreselijks kan gebeuren. Toen ze nog klein waren, moest ik 's avonds geregeld op monsterjacht. Achter de kastdeur: check. Onder het bed: check. Griezelige grijphand op de gordijnen: gewoon de schaduw van een boomtak. En welterusten. Maar nu ze wat ouder zijn, laten de angsten zich niet meer zo makkelijk wegwuiven. Want een aardbeving is écht. Ze weten inmiddels dat zich onder hun bed geen driekoppig monster bevindt (hoewel – als mama aanbiedt om het te controleren, zeggen ze geen nee), maar oorlogen, gezinsdrama's en natuurrampen zien ze bijna wekelijks op het Jeugdjournaal. En mochten ze het gemist hebben, dan horen ze het op maandagochtend alsnog tijdens de nieuwskring, waar de kinderen elkaar proberen te overtreffen met sensationele nieuwsberichten.

Maar de 'boze buitenwereld' ten spijt – het feit dat kinderen zich ongemakkelijk voelen in het donker, is eerder regel dan uitzondering. Uit een Engels onderzoek bleek dat 98% van de gezinnen met kinderen 's avonds een klein lichtje aan laat. Verrassender is dat de ouders dit stiekem ook een beetje voor zichzelf doen, want er blijken heel wat volwassenen te zijn die zich 's nachts niet op hun gemak voelen. Zelfs tenniskampioen Rafael Nadal bekende laatst in een interview dat hij er niet van houdt om alleen thuis te zijn. Om dan toch rustig te kunnen slapen, houdt de imposante spierbundel alle lichten én de televisie aan. Maar waarom doet het donker eigenlijk zulke rare dingen met je? Waarom lijken niet alleen de schaduwen op de muren veel groter, maar ook de problemen die je hebt op je werk of in je relatie? In het duister kun je de dingen letterlijk niet meer helder zien, en wordt alles groter en angstaanjagender. Mensen zijn van oudsher kwetsbaar in het donker. Het is niet toevallig dat wij rustig worden van weidse uitzichten; de oermens had overzicht over de steppe nodig om zich veilig te voelen.

Dat je je niet senang voelt in een donker bos is niet zo verwonderlijk – zeker niet wanneer je eenmaal *The Blair Witch Project* hebt gezien. Maar waarom ben je eigenlijk bang in je eigen slaapkamer? Slaapspecialisten zeggen dat het helemaal niet gezond is om altijd een nachtlampje aan te houden; daar raakt je interne klok van in de war. Het zou beter zijn wanneer wij zouden leren om het donker te omarmen, omdat het ook rust en reflectie kan brengen. Zover zijn Emma en Alec nog niet. Toen we laatst in Spanje waren, viel op een avond de elektriciteit uit. Binnen en buiten was alles zwart, tot de straatlantaarns aan toe. Het duurde meer dan een uur, en al die tijd hingen de kinderen als twee aapjes aan mijn been. Toen de lichten weer aangingen, vroeg ik waarom ze nu eigenlijk zo bang waren geweest. 'Weet je, mama,' zei Alec filosofisch, 'als het donker is om je heen, wordt het ook donker in jezelf.'

Ontwarren

Toen ik nog op de lagere school zat, had ik geregeld bonje met mijn moeder omdat zij met een ijzeren borstel (en een ijzeren discipline) mijn dikke, weerbarstige haar onder controle probeerde te krijgen. Ik had niet zelden klitten in de nekpartij van mijn krullerige haar, en ontwarren na het douchen was een regelrechte crime. Maar op een dag kwam Marion, een studente bij op ons op kamers woonde, met iets nieuws uit de supermarkt: crèmespoeling. Mijn moeder bekeek de flacon eerst met de nodige argwaan ('Allemaal reclame-onzin!') maar ik vond het vanaf dag één een wondermiddel. De introductie van de conditioner scheelde bij mij thuis niet alleen een heleboel tranen, maar het was ook het begin van mijn levenslange liefdesaffaire met haarproducten. Van een vriendin die bij een internationaal beautyconcern werkt, weet ik dat Nederlanders opvallend sceptisch zijn over claims die fabrikanten maken. Maar feit is dat er in de haarindustrie al decennialang serieus onderzoek wordt gedaan naar de optimale shampoos, conditioners, kleurspoelingen en föhnlotions.

Toen ik het tv-programma *De Naakte Waarheid* presenteerde, was ik er behoorlijk verbaasd over hoe weinig de geportretteerde vrouwen met hun haar deden. Maar eigenlijk zie je in alle make-overprogramma's hetzelfde: vrouwen laten hun haar maar wat hangen of dragen het al jaren in zo'n fantasieloze klem. En dat terwijl je haar niet zomaar een accessoire is; je kapsel is letterlijk en figuurlijk gezichtsbepalend. Het is dan ook belangrijk om je look om de zoveel jaar eens flink te updaten. Je hoeft echt geen Rihanna te zijn die iedere maand met een geheel andere coupe naar buiten komt, maar krampachtig vasthouden aan het kapsel uit je studententijd laat je niet bepaald jonger lijken. Je gezichtsvorm, je kaaklijn, je huidtoon – het kan allemaal veranderen, en het heeft allemaal invloed op de kleur of snit die je zou moeten kiezen. Ik heb bijvoorbeeld met het ouder worden een wat smaller bekkie gekregen, en met steil haar dat op kinhoogte wat laagjes heeft, lijkt mijn gezicht wat breder. Het blonder-dan-blond heb ik inmiddels ook achter me gelaten; een paar frisse *highlights* gecombineerd met wat warme *lowlights* geeft een veel verzorgder resultaat.

Ik begrijp ook weinig van de oer-Hollandse gewoonte om je haar na je dertigste terug te knippen naar zo'n korte, verstandige moedercoupe. Als je mooi haar hebt, houd het dan gewoon lang of halflang. En laat je door je kapper adviseren hoe je het goed kunt föhnen, want met lekker vallend haar kun je veel verbloemen. Voordat je zelfs maar aan botox gaat dénken, zou je eerst eens kunnen proberen om een pony te laten knippen. Wanneer je je wenkbrauwharen professioneel laat *shapen*, bespaar je op een ooglift en door je kapsel hernieuwd rond je kaak- en halslijn te stylen, kun je ook daar het nodige verdoezelen. Het heeft even geduurd, maar ik heb mijn weerbarstige haar uiteindelijk onder controle gekregen.

Maar toen kwam Emma. Ik weet niet wat ik onhandelbaarder vind: Emma's dwarse, klitgrage krullen of haar muiterij wanneer ik haar vogelnest 's ochtends probeer te ontwarren. Tja. Hoezeer ze de conditioners, de haarmaskers en de borstels ook vernieuwen – de strijd tussen moeder en dochter zal waarschijnlijk altijd hetzelfde blijven.

Vrijanden

Wanneer vrienden je bedriegen, komt dat veel harder aan dan wanneer onbekenden je een kunstje flikken. De moderne maatschappij is dermate onpersoonlijk geworden dat we vreemden bij voorbaat al een beetje wantrouwen. Leuk profiel op een datingsite? Tel daar maar tien kilo, tien jaar en tien mislukte relaties bij op. Mensen die je zomaar op straat aanspreken? Hebben vast een handlanger die onderwijl je tas staat te rollen. En staat er 's avonds laat nog iemand aan te bellen? Lekker laten staan. Eigenlijk is het jammer dat we zo argwanend zijn geworden. Een spontaan gesprekje is nauwelijks meer mogelijk, laat staan dat we nog enige vorm van lichamelijkheid tolereren. Toen Emma en Alec nog klein waren, schrok ik me rot wanneer oudere Spaanse mannen hen zomaar over hun bolletjes aaiden of ze snoepjes gaven. Nadat ik vaker in Spanje was geweest, begreep ik dat het voor Spanjaarden heel normaal is om affectie voor andermans kinderen te tonen. '*Muy bonito*,' zeiden ze dan. En ik maar denken: 'Muy Benno L.' Maar misschien zou het helemaal geen slecht idee zijn om toevallige voorbijgangers voortaan wat welwillender te bekijken, en in ruil daarvoor onze blik eens kritisch op onze vrienden te richten. Vaak zijn het immers de mensen die het dichtst bij ons staan die ons het hardst kunnen raken. Het klinkt misschien tegenstrijdig, een vriend die niet het best met je voorheeft, maar geloof me: iedereen heeft er wel een. Of twee.

Vooral vrouwen kunnen jarenlang onder de vlag van 'dikke vriendinnen' een onderhuidse concurrentiestrijd met elkaar voeren. In Amerika hebben ze daar een mooi woord voor: *frenemies*, een samentrekking van *friends* en *enemies*. Ik weet helaas uit eigen ervaring hoe masochistisch de vriendschap met dit soort 'vrijanden' kan zijn. Je voelt dat iemand je emotioneel naar beneden trekt, en je komt steeds uitgeput thuis na weer zo'n 'gezellig' etentje. En toch kun je er geen punt achter zetten want je kent haar al zo lang, en ze is eigenlijk heel aardig... Maar dat is ze níét. Op de middelbare school was er al die wedijver om dezelfde jongens, en in je studententijd koos ze altijd de drukste feestjes uit om jouw meest gênante momenten met iedereen te delen ('Ze was zó dronken, ze kotste de hele trap onder! En daarna plaste ze ook nog in bed...') Het kan een hele tijd duren voor het tot je doordringt dat een vriendin je zelfvertrouwen probeert te ondermijnen. Zo zijn er frenemies die steevast jouw geheimen 'per ongeluk' doorvertellen of altijd kritiek op je hebben ('Maar ik zeg het voor je eigen bestwil!'). Er zijn ook varianten die jou als alibi gebruiken om zelf vreemd te kunnen gaan. Die altijd op het laatste moment afbellen zodat jij met het eten blijft zitten. Of die jou als kliko gebruiken om hun emotionele afval in te dumpen.

Hoewel ik het vermoeden heb dat vrouwen er gevoeliger voor zijn, komt het verschijnsel van de 'vrijand' zeker ook bij mannen voor. Wat bijvoorbeeld te denken van John Terry, de (inmiddels ex-) aanvoerder van het Engelse voetbalelftal. Begin dit jaar kwam aan het licht dat hij een relatie heeft gehad met de vriendin van collega-voetballer Wayne Bridge; zijn ploeggenoot en een van zijn beste vrienden. Hoewel je juist van je vrienden beter zou verwachten, zijn dit soort affaires schering en inslag. Maar waarom eigenlijk? Omdat er gelegenheid is. Vertrouwen. En concurrentie. Mensen meten zich bewust of onbewust graag met hun gelijken. Ik heb dezelfde leeftijd als Jennifer Aniston, maar ik kan mezelf natuurlijk op geen enkel vlak met haar vergelijken. Maar ik kan mezelf wel vergelijken met de andere moeders op het schoolplein, met mijn collega's en mijn vrienden. Die hebben vaak dezelfde leeftijd, eenzelfde soort opleiding, baan, huis en kinderen. Mensen leggen hun naasten voortdurend langs een meetlat om hun eigen positie te bepalen. Wanneer de conclusie slecht is voor het ego, kan de afbraakcampagne beginnen: 'Vinden je kinderen het niet vervelend dat je zoveel werkt?' Of de klassieker: 'Meid, je moet echt niet méér afvallen hoor!' Blader eens kritisch door je adressenboek en maak jezelf vrij van je vrijanden. En durf in de spiegel te kijken: ben je zelf misschien een frenemy?

Weten dat je niks weet

Hoe ouder je wordt, hoe meer je weet dat je eigenlijk niks weet. Wanneer je jong bent, denk je nog dat jij en je vrienden de maatschappij weleens even zullen gaan veranderen. Je hebt een grote mond, en nog grotere idealen. Zo hoort het ook, want jeugdig optimisme leidt tot frisse ideeën en nieuwe invalshoeken, en uiteindelijk misschien wel tot positieve omwentelingen. Maar het gaat zelden in het tempo dat je voor ogen had. En de realiteit blijkt vaak 'iets' gecompliceerder te zijn dan je had verwacht. Vorige week vond ik op zolder in een oude doos een paar van mijn dagboeken van de middelbare school, en eerlijk gezegd werd ik een beetje melancholiek van het naïeve wereldbeeld dat van de pagina's spatte. Die onbevangen levenshouding zie ik nu ook bij mijn eigen kinderen. En dan vooral bij Emma, die na de zomervakantie een geheel nieuwe levensfase tegemoet gaat als middelbare scholier. Zij en haar vriendinnen zien alles nog zo heerlijk zwart-wit. Als ik weer eens zo'n plukje meiden naar de streetdancetraining moet brengen, luister ik graag naar wat ze allemaal op de achterbank bespreken.

Ze hebben overal een mening over en die staat in cement geschreven. Het ene is 'heilig' en het andere is 'zooo gisteren'. Ze zijn ook nog zo lekker stellig: 'Zo wil ik *nooit* worden!' en 'Dat blijf ik *altijd* doen!' Dat deed mij denken aan een interview dat ik laatst heb gelezen met zo'n broekie van BNN. Het grootste schrikbeeld van deze jonge presentator was dat hij met vrouw en kinderen in een saaie doorzonwoning terecht zou komen. Hij wilde vooral blijven reizen en liever niet settelen, want stilstaand water werd brak, weet je wel. Als ik zoiets lees, moet ik altijd even glimlachen. Een van de grootste uitdagingen in dit leven is om te leren hoe je het bijzondere kunt ontdekken in het gewone. Dat is vele malen moeilijker dan de zoveelste vlucht naar Verweggistan. Maar ik heb ook geleerd dat je eigenlijk niet over een ander kunt oordelen. Je kent zijn of haar drijfveren niet, en aannames op basis van je eigen situatie zijn zelden juist.

Hoe ouder ik word, hoe meer ik inzie dat je eigenlijk geen mening kunt hebben over dingen waar je niks vanaf weet. Toen ik in de twintig was, zei ik in interviews geregeld dat mensen die naar een plastisch chirurg gingen, hun geld beter aan de psychiater konden uitgeven. Inmiddels weet ik dat je vrouwen onder de vijfendertig zoiets helemaal niet moet vragen. De wet van het voortschrijdend inzicht, heet dat geloof ik. Op een gegeven moment begrijp je dat je het niet begrijpt – maar dat dat ook helemaal niet hoeft. Het wordt nooit meer zo zwart-wit als toen je jong was. Mannen die vreemdgaan gooi je er niet zomaar uit. Oplossingen voor de Derde Wereld zijn niet zo makkelijk als ze lijken. *Ik ben verliefd (Sha-la-li)* blijft dagenlang in je hoofd hangen. Het lijkt allemaal onbegrijpelijk, maar toch is het zo. Die constatering heeft mij persoonlijk veel rust gebracht. Je hoeft niet alles te kunnen verklaren. Er hoeft niet overal een oplossing voor te komen. Van een beetje wrijving krijg je tenslotte de mooiste glans.

De Grammy's

Tijdens de feestdagen had ik voor Richard twee riemen en een mooi boek gekocht. Maar toen gaf hij míj twee kaartjes voor de Grammy Awards, plus vliegtickets en een hotelverblijf van een week in Los Angeles met mijn beste vriendin. Dus. Misschien moeten we dit jaar het cadeaubudget iets beter op elkaar afstemmen. Maar goed – ik was natuurlijk helemaal verbijsterd. Samen met mijn al even verbouwereerde vriendin Nicole ('Wáár gaan we heen?!') heb ik er wekenlang koortsachtig naartoe geleefd. Bijna iedere dag hadden we telefonisch topoverleg: wat trekken we aan? Wat nemen we mee? Ik vond het best intimiderend allemaal. Ons hotel, The Beverly Wilshire, bleek te hebben gefigureerd in de film *Pretty Woman*. We voelden ons ook een beetje zoals Julia Roberts; minus het straathoertjesgedeelte dan. Rodeo Drive, Hollywood, Sunset Boulevard – ik vond het één groot openluchttheater, al is 'open inrichting' misschien een betere term.

Chihuahua's die worden voortgeduwd in roze kinderwagens? Natuurlijk. Vrouwen met opgespoten lippen, opgevulde borsten en oversized handtassen? Uiteraard. Kroonluchters bij het ontbijt, luxe *cabana's* rond het zwembad, stretchlimousines voor de deur? Het is er allemaal. Het straatbeeld leek wel een hysterische aflevering van *The Hills*. In Los Angeles wemelt het van de bekende gezichten. De mannen van Take That zaten de hele week bij ons in het hotel, maar die gasten waren verrassend laagdrempelig vergeleken bij hun Amerikaanse collega-beroemdheden. In restaurant Asia de Cuba kwam de knappe acteur Dylan McDermott binnenglijden met zes langbenige modellen in zijn kielzog. (Zes? Heeft-ie verlatingsangst of zo?) In Urth Café zag ik mijn held Lloyd uit *Entourage*, en in Koi zaten we naast de potige Jason Statham uit *The Bank Job*. En toen moesten we nog naar de Grammy's. Voordat we in de valse wimpers gingen, hebben we eerst twee fietsen gehuurd om langs het strand van Santa Monica te gaan cruisen. Lekker Hollands uitwaaien – dat voelde tenminste vertrouwd. Daarna was het tijd voor *the works*: na een *mani-pedi*, een *blow-out* en een spraytan waren we helemaal ingeburgerd, om niet te zeggen *plastic fantastic*. Toen Richard ook nog een limousine geregeld bleek te hebben om ons naar de Grammy's te chaufferen, kwamen we helemaal niet meer bij.

Nicole en ik zaten heel dicht bij het podium, waar alle wereldsterren met hun peperdure designerjurken op simpele klapstoelen bleken te zitten. Nicole Kidman schreed als een sprookjesprinses voorbij, en Rihanna stond te kletsen met de bizar uitgedoste Lady Gaga. Het was allemaal erg surrealistisch (Eminem! Celine Dion!) maar ik werd pas echt gevloerd door de adembenemende Beyoncé: wat een uitstraling heeft die vrouw. Ook Pink was waanzinnig. Taylor Swift daarentegen zag eruit als een dun, seksloos wezentje en de überglamourous Heidi Klum bleek helemaal niet zo 'lekker gewoon' te zijn als ze in interviews graag doet voorkomen. Op de afterparty kwamen zij en haar man Seal naast ons staan, dus ik dacht: Richard kent Seal van vroeger en Heidi is mijn, ahem, Duitse HNTM-collega, dus ik maak een gezellig praatje. Ik kwam niet verder dan de Russisch ogende bodyguard: opzouten! Ze bekeek me niet eens. Ontnuchterend moment. Na een bedwelmende *evening with the stars* stond ik weer met beide beentjes op de grond.

Schaamhaar

Waar is ons schaamhaar gebleven? Je schijnt er tegenwoordig nog maar één ding mee te mogen doen: zo veel mogelijk verwijderen. Een kortgeschoren verticale streep heet een French en laat je de haartjes iets langer, dan heb je een Beckham. Een heel dun streepje noemen ze een Brazilian en helemaal kaal is de Hollywood. Ondanks het feit dat het idioot veel pijn doet en het buitengewoon gênant is om op handen en knieën te moeten gaan zitten zodat iemand hete wax tussen je billen kan smeren, is deze laatste stijl veruit het meest populair. Natuurlijk zijn er ook nog vrouwen die hun venusheuvel liever au naturel laten. Dat noem je tegenwoordig een patchouli; een ietwat onflatteuze verwijzing naar de zware muskusgeur uit de seventies. Met name jonge mensen halen hier hun neus voor op; zij vinden schaamhaar vies. Zodra het begint te groeien, maaien ze alles eraf – zowel de jongens als de meiden. Mannen onder de vijfendertig scheren niet alleen massaal hun ballen – het héle zaakje wordt ontbladerd. Ze vinden het hygiënischer, geiler en 'je pik lijkt groter', aldus een mannensite; een claim die volgens mij nauwelijks te staven is.

Maar waarom is iedereen toch zo aan het ontharen geslagen? De media wijzen graag met een beschuldigende vinger naar de porno, waar een kale voor- en achtertuin de standaard is. Dat lijkt mij echter iets te voorbarig. Dát dertigers ongeremd veel internetporno kijken, staat als een paal boven water, getuige de schaamteloze opmerking van de zanger John Mayer dat hij 'van een nieuwe generatie masturbeerders' is: 'Er zijn dagen dat ik al driehonderd vagina's heb gezien voor ik 's ochtends zelfs maar koffie heb gemaakt.' Dat móét iets met je verwachtingspatroon doen. Maar de geschiedenis laat ook nog iets anders zien: zodra de mens zich bewust werd van zijn lichaam, is hij begonnen met het te ontharen. Niet alleen voor de oude Egyptenaren, maar ook voor de Grieken en Romeinen was een glad en haarloos lichaam zeer begerenswaardig. Vrouwen lieten zich duizenden jaren geleden al professioneel waxen met mengsels van honing en hars. Ook binnen veel religies, waaronder de islam, is het voor zowel mannen als vrouwen gebruikelijk om zich geheel te ontharen.

In het middeleeuwse Europa werd het ontharen van de schaamstreek gezien als een hygiënisch wapen tegen schaamluis. Er kwamen zelfs speciale 'poezenpruiken', waarmee je de kale punani weer wat kon opleuken. De Renaissance was de bloeiperiode van de haarloze vulva; de veelgeroemde Rubens-vrouwen hadden wulpse rondingen, maar geen spoortje van schaamhaar. In de victoriaanse tijd werd het onder de gegoede burgerij erg populair om het geschoren schaamhaar van je geliefde in een snuifdoos bij je te dragen. Maar in het begin van de twintigste eeuw kwam het ontharen pas echt in een stroomversnelling door de uitvinding van het scheermesje. Na de introductie van de bikini (en later natuurlijk de string) was het hek helemaal van de dam. Ontharen is dus méér dan een knieval naar porno; het is een onderdeel van de menselijke natuur. Maar het is ook nog steeds een vrije keuze. Dus áls een man meent te moeten klagen over je patchouli, zeg je gewoon: schat, ik heb een historisch verantwoord snuifdoosje.

20 dingen die niemand van mij weet

1. Mijn ouders hebben mij genoemd naar de schrijfster Daphne du Maurier, en mijn broer naar de acteur Clark Gable. Dat viel destijds niet zo goed in het katholieke Zuid-Limburg, waar iedereen zijn kinderen naar een heilige noemde. 2. Ik heb dyscalculie. Met andere woorden: ik ben dyslectisch als het gaat om getallen. Ik kán wel rekenen, maar niet zo snel en zeker niet onder druk. 3. Ik heb een fobie voor afwaswater met etensresten. Mijn ouders dachten vroeger dat het een smoesje was om niet te hoeven meehelpen, maar ik krijg er echt de rillingen van. 4. Als kind droomde ik van een carrière als ballerina, maar ik kon mijn neus niet op mijn knieën krijgen. Nog steeds niet trouwens. 5. Ik heb lang geloofd dat chocomelk van bruine koeien komt. Dat had mijn vader me verteld. Toen ik het later mijn eigen kinderen probeerde wijs te maken, lachten ze me vierkant uit: 'Zó dom zijn we nou ook weer niet!' 6. Ik heb in mijn leven nog nooit een glas alcohol gedronken. 7. Van braaksel moet ik zelf braken. Ik doe álles voor mijn kinderen maar als ze overgegeven hebben, roep ik Richard. 8. Ik dip graag blokjes kaas in de hagelslag. 9. Als ik tijdens het schrijven even moet nadenken, zit ik vaak onbewust mijn wenkbrauwharen eruit te trekken. Mijn hele toetsenbord ligt ermee vol. 10. Ik heb nog een dwangneurose: ik frommel aan de zijkanten van papier als ik zit te lezen. Zo heb ik al menig boek geruïneerd, en mijn gezin vindt het bloedirritant. 11. Honden luisteren nooit naar mij. Ook onze eigen hond Raffa niet. Die gaat altijd met zijn kont naar me toe zitten. 12. Ik ben bang voor grote paarden. Toen ik Anky van Grunsven ging interviewen, moest ik voor de foto op een van haar huizenhoge paarden gaan zitten. Niet fijn. 13. Iedere zondagochtend kijk ik naar The Hills. Ik vind het suikerspin-tv: je wordt er misselijk van, maar je blijft het consumeren. 14. Jaren geleden heb ik in New York op straat een handtekening uitgedeeld omdat toeristen dachten dat ik Meg Ryan was. Toen ik dat

ontkende, dachten ze dat ik incognito wilde blijven. 15. In de tijd dat ik modellenwerk deed in Tokio, kwam in een restaurant een Japanse vrouw naar me toe met de vraag of het mogelijk was om mij aan haar man cadeau te geven voor zijn verjaardag. 16. Ik houd helemaal niet van ijs. Wetenschappelijk onderzoek zal nu moeten uitwijzen of ik eigenlijk wel een vrouw ben. 17. In Lapland heb ik mijn rendierrijbewijs gehaald. 18. Als tiener heb ik samen met mijn broer de houtkachel proberen aan te maken met een kopje benzine. Resultaat: vloer in brand. Toen hebben we de verbrande vloertegels geruild met dezelfde tegels onder het bed van mijn ouders. Die waren namelijk niet thuis. 18. Ik heb Richard leren kennen op een gourmetavondje. Hij heeft de hele avond niet veel gezegd, maar wel veel gegeten. Dat is op zich niet veranderd. 19. Brad Pitt heeft ooit tegen me gezegd dat ik mooie ogen heb. 20. Ik kan geen handstand maken, maar ik kan wel mijn oorlelletjes in mijn oor vouwen.*

---

* Nadat deze column geplaatst was, kwam ik erachter dat ik echt niet kan rekenen. Het blijken namelijk 21 dingen te zijn die niemand van mij weet.

Goed genoeg

In Amerika is behoorlijk wat ophef ontstaan over het boek *Marry Him: The Case for Settling for Mr. Good Enough*. De schrijfster van deze controversiële bestseller, Lori Gottlieb, vindt dat vrouwen die alsmaar geen man kunnen vinden gewoon maar eens moeten leren om genoegen te nemen met iemand die ook best leuk is, in plaats van nuffig te blijven wachten op de perfecte partij die toch niet bestaat. Gottlieb heeft niet zomaar een tegendraads relatieboekje in elkaar geflanst, maar serieus onderzoek gedaan naar 'de ware'. Ze interviewde niet alleen tientallen vrijgezelle vrouwen, maar ook een batterij neurobiologen, relatietherapeuten, sociologen en gedragswetenschappers. Gottlieb vertelt eerlijk waarom zij dit heeft gedaan: ze kon zelf ook geen man vinden. Geen blijvertje, althans. Ze had een hele lijst gemaakt waaraan haar ideale man moest voldoen, en aan iedere verkering – hoe leuk ook – mankeerde wel wát. En daarom was ze nu veertigplus, en alleen. En daar had ze spijt van, want terugkijkend zag ze precies welke denkfouten ze had gemaakt.

Nergens is de mythevorming rond de ware zo sterk als in Amerika, waar hij steevast *The One* wordt genoemd. Onder invloed van romcoms, chicklit en de tijdsgeest ('Omdat je het waard bent!') zijn vrouwen gaan geloven dat je met minder dan het allerbeste geen genoegen hoeft te nemen. Gottlieb vroeg aan single mannen wanneer zij een vrouw leuk genoeg vonden om een vervolgafspraakje mee te maken. Ze kreeg als antwoord dat wanneer een vrouw een beetje leuk, aardig en belangstellend was geweest, er waarschijnlijk wel een tweede date van zou komen. Maar toen Gottlieb dezelfde vraag aan single vrouwen stelde, kwamen deze met een lijst van wel driehonderd afknappers op de proppen: hij droeg de verkeerde das, had een te dunne bovenlip, vertelde flauwe moppen. Vrouwen blijken ongelooflijk kritisch te zijn, en lopen daarbij het risico dat ze een prima partner in een vroeg stadium afserveren. Maar waarom zijn ze zo kritisch? Omdat ze álles willen, meent Gottlieb. En daardoor blijven ze vaak zitten met niks.

De schrijfster legde zowel mannen als vrouwen de volgende vraag voor: als jij 80% zou kunnen krijgen van alles wat je ooit in een partner had willen hebben, zou je dan blij zijn? 'Nou en of,' antwoordden de meeste mannen. 'Mooi niet!,' zeiden de meeste vrouwen. Hoe valt dat verschil te verklaren? En waarom reageerden massa's vrouwen zo heftig op dit boek? Gottlieb werd uitgemaakt voor 'een belediging voor het feminisme' en 'iemand zonder zelfrespect' die haar eigen onzekerheden projecteerde op anderen. Vooral single vrouwen van rond de veertig voelden zich neergezet als eenzame zielenpieten die de boot hadden gemist, en nu maar genoegen moesten nemen met het eerste het beste sloepje. Maar volgens Gottlieb moet je zeker niet stoppen met het zoeken naar Mr. Right, maar zou je je wel kunnen afvragen wie dat nou eigenlijk ís. Je bent zelf tenslotte ook niet perfect, dus waarom zou hij dat wel moeten zijn? En zo'n dunne bovenlip – daar is van alles aan te doen. Je kunt er tegenwoordig zelfs vet van je eigen kont in laten spuiten. Dat geeft dan meteen een heel andere betekenis aan de uitdrukking *kiss my ass*.

Het appelexperiment

Schelden doet geen zeer? Daar denkt een appel anders over. In een Engelse krant las ik een interview met gedragstherapeute Nikki Owen, die beweert dat je een appel sneller kunt laten rotten door hem te bestoken met lelijke woorden en negatieve energie. Er stond een foto bij van twee stukken appel, waarvan de één inderdaad veel meer beschimmeld was dan de ander. Maar ja, wat zegt dat? Bij dit soort beweringen voel ik altijd een stevige dosis argwaan: eerst zien, dan geloven. Geen probleem, meende Owen, je kon thuis makkelijk de proef op de som nemen door een appel doormidden te snijden en beide helften afzonderlijk in twee glazen potjes te doen. Het ene potje noem je 'liefde' en het andere potje 'haat'. Vervolgens mag je een week tekeergaan tegen het haat-appeltje: schelden, klagen of uitlachen – alles is geoorloofd. Het liefde-potje daarentegen moet je koesteren alsof het je favoriete huisdier is; je geeft het appeltje complimentjes en heel veel positieve aandacht.

Ha – ik zag het gezicht van Richard al voor me als ik een glazen potje zou gaan aaien. En moest ik echt een week gaan foeteren op een appel? Het klonk mij allemaal net iets te veel naar zweefteef. Toch was ik geïntrigeerd. Want appels bestaan voor ongeveer 60% uit water – net als het menselijk lichaam. En dáár gaat het Nikki Owen om. Zij is er heilig van overtuigd dat mensen die lelijke dingen over zichzelf denken, ook eerder bederven; vanbinnen en vanbuiten. Een interessante gedachte – maar verschrompelt een appel écht van negatieve energie? Nu wilde ik het weten ook. Tijd voor een thuisexperiment. Ik riep mijn kinderen erbij, en deed twee stukken appel in glazen potjes. Het grappige was dat Emma en Alec het helemaal geen raar idee vonden. Praten tegen een appel? Leuk, gaan we doen! Kinderen staan veel meer open voor verrassingen dan volwassenen; ze zitten nog niet vastgeroest in de dwangbuis van de logica. Mijn vrienden daarentegen keken in het begin enigszins verontrust naar mijn interactie met twee halve appels. Had ik een Prinses Irene-moment?

Maar het duurde niet lang of iedereen deed vrolijk mee. De één kwam gefrustreerd uit de file, de ander geïrriteerd van het werk, en allemaal gaven ze de haat-appel de wind van voren. Ik moet eerlijk zeggen dat het best lekker was, zo'n pispaaltje in huis. Waar ik nog weleens in de verleiding kan komen om mijn vermoeidheid af te reageren op mijn gezin, kon ik nu stoom afblazen bij een halve appel. Het resultaat was verbluffend. Na twee dagen kon je al verschil zien, maar na een week was het onderscheid ronduit verbijsterend. De haat-appel was bruiner, verder verschrompeld en had een veel grotere schimmelplek dan de liefde-appel. Nikki Owen had gelijk: harde woorden komen daadwerkelijk hard aan. Het was een prachtige gelegenheid om aan Emma en Alec te laten zien dat een menselijk pispaaltje ongetwijfeld óók verschrompelt. Dat ruziemaken de sfeer letterlijk kan bederven, en dat je jezelf een 'rot' gevoel kunt geven door steeds maar weer negatieve dingen tegen je spiegelbeeld te zeggen. Minder hard en meer hart – het is gewoon beter voor je schilletje.

Smoezen

Laatst hoorde ik weer zo'n typisch leugentje om bestwil. 'Nee, dat mailtje heb ik nooit ontvangen,' zei iemand, terwijl ik zeker wist dat dit wél zo was. Vroeger liep je nog het risico dat je postduif uit de lucht viel of dat de postkoets werd overvallen. Maar tegenwoordig kun je mensen op zoveel verschillende manieren bereiken dat het nauwelijks nog mogelijk is om onbereikbaar te zijn. Tenzij je dat wílt, natuurlijk. En dan komen de smoezen, want ook die zijn met de tijd meegegaan. Met stip op één: 'Mijn mail ligt eruit.' Of: 'Mijn beltegoed is op.' 'Ik heb je sms nooit ontvangen. Ik zit net tussen twee abonnementen. Mijn provider heeft een storing. Mijn simkaart is versleten. Mijn Hyves is gehackt. Mijn carkit hapert. Ik ga zo wegvallen hoor, want mijn batterij is bijna leeg – ik ga zo een tunnel in – ik heb geen bereik.' Allemaal uitvluchten waarvan je weet: die heeft even geen zin in mij. Beide partijen weten dit overigens. Het is een soort semiliegen, een 'beleefde' vorm van afwimpelen.

Maar er bestonden natuurlijk al tientallen andere onzinexcuses. Smoezen waarvan iedereen weet dat ze niet waar zijn, maar die toch volop worden gebruikt. Wat dacht je van: 'Mijn kinderen zijn normaal nooit zo druk.' Hondenbezitters kennen dit praatje in de variant: 'Dat doet-ie anders nooit.' 'Nee mevrouw, dit wollen truitje krimpt echt niet in de was. Je voelt even een prikje, maar verder doet het geen pijn. Proef maar, je vindt het vast lekker. We kunnen toch gewoon vrienden blijven? Mijn vrouw begrijpt me niet. Bij mij is je geheim veilig. Vertel het nou maar, want ik word niet boos. Nee, er is niks. U bent helemaal niet te oud voor zo'n lage spijkerbroek. We worden overgenomen, maar niemand gaat zijn baan verliezen. Het kwartje van Kok is een tijdelijke maatregel. Het ligt echt niet aan jou. Ja, uw verzekering dekt dit allemaal. Ik bel je nog wel. Schatje, ik zweer het, ze betekent niks voor me. Ik zeg dit niet om je kwetsen.

Ik wil niet roddelen hoor, maar... Ik ken die vrouw niet eens. Deze schoenen lopen nog wat uit.

Mama, we zullen echt zelf voor het hondje zorgen. Ik ben allergisch voor condooms. Ik wil alleen even voelen... Het gaat mij niet om het geld, het gaat mij om het principe. Dat kleedt enorm af. Straks is-ie weer zo goed als nieuw. Je bent geen dag ouder geworden. De meneer van de klachtenbalie zit even niet op zijn plek. We bellen u morgen meteen terug. Geloof me nou maar. Als jij in de vergadering het probleem durft aan te kaarten, dan geef ik rugdekking. Ik ga echt niet anders over je denken als je op de eerste date al seks met me hebt. Kinderen in Afrika zouden maar wát blij zijn met zo'n groenteschotel! Je hebt echt hartstikke lekker gekookt, maar ik hoef niet meer. Je haar zit prima. Zelfgemaakte cadeautjes zijn het leukst. Ik denk ook aan jou. Ja, wij eten ook altijd biologisch-dynamisch. Dat moeten we snel nog 'n keer doen. Volgende keer bij ons!' Smoezen genoeg. Niet dat ík ze ooit gebruikt heb. Ik heb het alleen van horen zeggen.

In geuren en kleuren

Toen mijn moeder laatst bij mij stond te koken, bracht de geur van haar gebraden kip mij binnen één seconde terug naar mijn jeugd. Ik zag mezelf weer thuiskomen uit school; verkleumd en verwaaid van het fietsen door de polder. Terwijl het vlees stond te pruttelen in een grote braadpan, zat mijn moeder te wachten met thee en een pak bastognekoeken. Steeds als ik die kip ruik, ben ik weer thuis. Dat heb ik ook met de geur van koeienmest. Ik ben opgegroeid op het platteland, en daar was altijd wel iemand aan het gieren. Wanneer ik nu ergens mest ruik, doe ik meteen het raam open – dit tot verbijstering van mijn kinderen. Ik vind het helemaal niet stinken; het ruikt eerder zoetig, met een zweem van lange zomeravonden, fikkie stoken en kikkervisjes vangen. Het lijkt wel of sommige geuren zitten opgesloten in een tijdcapsule. Zodra je zo'n geur weer ruikt, breekt de capsule open en word je overspoeld door allerlei herinneringen waarvan je dacht dat je ze allang vergeten was.

Het geurcentrum van je hersenen zit in het limbische systeem; dat is het deel van je brein dat verantwoordelijk is voor het reguleren van emoties en het opslaan van herinneringen. Geuren dóén iets met je – je hoeft alleen maar langs een warme bakker te lopen om dat te ervaren. Een paar jaar na de dood van mijn oma kreeg ik bij een drogisterij een klein parfummonstertje. Toen ik dat thuis nietsvermoedend uitprobeerde, sprongen bij mijn vader de tranen in de ogen. Het was de geur van zijn moeder, en dat bracht méér herinneringen bij hem naar boven dan welk fotolijstje ook. Een geur kan echter ook effect op je gevoelens hebben zonder dat je je daarvan bewust bent. Zo is uit een proef in een winkelcentrum gebleken dat mensen eerder bereid zijn om iemand te helpen met het oprapen van gevallen boodschappen wanneer zij de geur van versgebrande koffie of gebakken koekjes ruiken. Deze klassieke feelgoodgeuren brengen ons onbewust in een opperbeste stemming, waardoor we hulpvaardiger worden. En kooplustiger – iets wat makelaars maar al te goed weten. Zodra een huis overdadig naar appeltaart ruikt, weet je dat er waarschijnlijk boktor in het dak zit.

Maar geuren doen nog meer. Grapefruit veroorzaakt bijvoorbeeld zo'n opwinding in het mannenbrein dat vrouwen die dit aroma in hun parfum dragen maar liefst tien jaar jonger worden ingeschat (ik zeg: kopen!). Ook interessant: een onderzoeksteam uit Moskou ontdekte dat schoolkinderen beter presteerden bij rekenen en spelling wanneer een lichte pepermuntgeur in het klaslokaal werd verspreid. En moet je blokken voor een examen? Spray dan wat rozenwater in je gezicht. Zorg ervoor dat iemand dit nogmaals doet terwijl je ligt te slapen en je zult je de volgende dag 15% méér van je lesstof herinneren. Newagegeneuzel? Nee, wetenschappelijk bewezen. Het is sowieso een goed idee om met een bloemengeur te studeren, en die geur vervolgens mee te nemen naar je examen. Door de sterke connectie tussen geur en herinnering schijn je mentaal een betere prestatie neer te kunnen zetten. Hoe dat precies werkt? Ik heb geen idee. Maar ik weet wél dat Emma de hele brugklas naar roosjes gaat ruiken.

Het Madonna-hoercomplex

De Engelse voetballer Ashley Cole was getrouwd met de knappe en in Engeland zeer populaire zangeres Cheryl Cole, maar bleek vreemd te gaan met serveersters en *webcam girls*. Garagehouder Jesse James was getrouwd met de geliefde Oscar-winnares Sandra Bullock, maar bleek vreemd te gaan met webcam girls en strippers. Tiger Woods was getrouwd met het Zweedse fotomodel Elin Nordegren, maar bleek vreemd te gaan met serveersters, webcamgirls, strippers én pornosterren. Weet de oplettende lezer hierin wellicht al een patroon te ontdekken? De deskundologen in ieder geval wel. Want om de zoveel tijd graaft iemand het weer op: het Madonnahoercomplex. Zodra beroemde mannen vreemdgaan, lees ik altijd wel ergens een analyse dat veel mannen 'nu eenmaal' last hebben van dit complex. (Even voor de duidelijkheid: met Madonna wordt hier de Heilige Maagd Maria bedoeld en niet de popzangeres, die volgens sommigen eerder in de laatste categorie zou vallen.) Het Madonna-hoercomplex stelt dat veel mannen hun relaties indelen in twee categorieën: vrouwen om mee te trouwen, en vrouwen om mee te seksen.

De mooie en succesvolle echtgenote is niet alleen de gerespecteerde moeder van een paar fotogenieke kinderen, maar ook een decoratief pronkstuk op feesten en partijen. De rest van de 'dames' zijn wipkippen die het haantje veren in zijn reet steken, en seksuele diensten verlenen die de heer des huizes niet (meer) aan zijn echtgenote durft te vragen. Tenminste – dat is het verhaal. Want ik geloof er eerlijk gezegd niks van. Het is het zoveelste bedenksel om mannen die eindeloos buiten de deur neuken iets van een excuus te geven. Net zoals ze nu opeens allemaal 'seksverslaafd' zijn. Tiger Woods en Jesse James laten zich naar verluidt behandelen in een kliniek om hun huwelijk te redden: 'Sorry schat, ik heb paarzucht. Da's net zoiets als vraatzucht, maar dan met hoeren.' Welja. Iedereen kan tijdens een langdurige relatie weleens gevoelens krijgen voor een ander. Het is maar net wat je met die gevoelens doet. Maar wanneer je aan achttien holes nóg niet genoeg hebt, is er volgens mij meer aan de hand.

Het opvallende vind ik echter dat er geen vrouwelijke evenknie van deze 'aandoening' is. En dat terwijl vrouwen écht niet fatsoenlijker zijn dan mannen. De Nederlandse Merith, getrouwd en moeder van een zoontje, begon een wilde affaire met Howard Donald, één van de zangers van Take That. Hoe zullen we dat eens noemen? Het papa-popstercomplex? En van een vriendin die verkering had met een schilder, weet ik dat het écht waar is: zodra vader naar kantoor is, krijgt de schilder niet zelden het verzoek van moeder om haar buitenboel ook nog even lenteklaar te maken. Is dat het sukkel-schildercomplex? Waarom ook niet. Feit is dat het veelbesproken Madonna-hoercomplex niet alleen aan mannen is voorbehouden. Zo was de Engelse presentatrice Paula Yates getrouwd met Sir Bob Geldof, bedenker van Live Aid en onvermoeibaar strijder voor Afrika. Een heilige dus. Maar Paula taaide af met de razendknappe *bad boy* Michael Hutchence, de hitsige zanger van INXS. Dus wees voorzichtig, heren, met de conclusie dat alleen mannen 'nu eenmaal' zo zijn. Veel kerels hebben zonder dat ze het zelf weten een sprookjeshuwelijk: als ze thuiskomen zit er een heks op de bank.

Citroentjesfris

Toen ik laatst op mijn Hyves-pagina over mijn ontstoken ogen schreef, werd ik bedolven onder de tips. Een aantal Hyvers maakten mij erop attent dat je in dit geval meteen je mascara moet weggooien, omdat je jezelf anders blijft besmetten. Daar had ik eerlijk gezegd nog nooit aan gedacht, want ik ben niet zo van het weggooien – zeker niet wanneer er nog wat in zit. Ik heb eens een documentaire gezien over *hoarders*: mensen die alles bewaren en opstapelen in hun huis. Deze dwangmatige verzamelaars sterven niet zelden onder een omgevallen toren van volgepakte dozen. Diep in mijn hart ben ik zo'n hoarder. Zo heb ik laatst met veel pijn en moeite mijn werkkamer ontruimd. Ik heb al mijn boekenkasten leeggehaald, de vensterbanken gekuist, het bureaublad ontsmet en mezelf daarbij compleet ontworteld. Want ik houd van al mijn troepjes, van mijn souvenirs en mijn snuisterijen. Maar na tien jaar kon het écht niet meer; mijn werkkamer was compleet dichtgegroeid.

Omdat ik iedere frutsel in mijn handen heb gehad ('Kijk – mijn rendierrijbewijs! Dat moet ik toch echt bewaren!'), heb ik er weken over gedaan. Dat ik deze voor mij zo onnatuurlijke taak überhaupt tot een einde hebt gebracht, kwam door de 'lichte' aansporing van mijn liefhebbende echtgenoot. Richard is namelijk de omgekeerde Gerda Smit: alles moet weg. Ik ken niemand die zó makkelijk afstand kan doen van spullen als hij. Zijn poeslieve: 'Zal ik je helpen?' klinkt misschien aardig, maar eigenlijk is het een dreigement. Inmiddels weet ik echter dat het beter voor je gezondheid is om met enige regelmaat dingen weg te gooien. Zoals make-up. Met name mascara blijkt een houdbaarheidsdatum te hebben, net als eyeliner. Deze twee beauty-producten moet je eigenlijk iedere zes maanden vervangen, want het zijn broedplaatsen van bacteriën en schimmeltjes. De meeste vrouwen (onder wie ik) hebben een make-uptas met een soort humuslaag op de bodem van kohlslijpsel, blushkorrels, bronzing powder en lipglossknoeisels. Daarin plakken verroeste haarschuifjes, kapotte elastiekjes, afgebroken oogpotloodpunten en ranzige sponsjes.

Hoogste tijd om deze biologische brandhaard resoluut om te keren en alles eruit te schudden. Nadat ik mijn tasje met alcoholdoekjes had afgenomen, heb ik de kwasten met babyshampoo gewassen en de sponsjes gedesinfecteerd. Dat laatste blijk je iedere week te moeten doen, want een make-upsponsje verzamelt evenveel bacteriologische levensvormen als een keukendoekje. Zonnebrandcrème blijkt maar één jaar houdbaar te zijn; daarna verliest het zijn factor. Weg ermee. Net als concealer en foundation op oliebasis: dat wordt na twaalf maanden ranzig. Nooit geweten. Gelukkig kun je poeder en oogschaduw tot twee jaar bewaren. Daar staat tegenover dat gezichtscrèmes hun werking verliezen zodra je de dop opendraait, en parfums verdampen waar je bij staat. Geen probleem – om de zoveel tijd heb je sowieso behoefte aan een nieuw parfum; iedere levensfase vraagt tenslotte om een sprankelende, frisse geur. Ik heb bijvoorbeeld een flesje van dat grapefruitaroma gekocht, waarover ik een aantal weken geleden schreef dat mannen dit zo lekker vinden ruiken dat ze je tien jaar jonger inschatten. Toen Richard thuiskwam, zei hij dan ook enthousiast: 'Wat ruikt het hier lekker!' 'O ja?' vroeg ik gevleid. 'Ja,' antwoordde hij, 'naar citroenen! Heb je soms de keuken gedweild?'

Golfje GFT

Laatst zat ik met een groepje vriendinnen aan tafel toen een van hen vertelde hoe een collega waar ze al een tijdje verliefd op was, haar was komen ophalen voor hun eerste date. Opgetogen was ze in zijn auto gestapt om daar tussen oude, aangekoekte broodjes van de benzinepomp te belanden. De passagiersstoel was bezaaid met vlekken, de asbak zat overvol en om haar voeten kwijt te kunnen, moest ze eerst een verzuurde McDonalds-zak opzij duwen. 'Sorry voor de rommel,' zei de collega knipogend, maar volgens mijn vriendin is er nog altijd een subtiel verschil tussen rommel en een zwijnenstal. En toen kreeg ik natuurlijk de wind van voren. Want had ik onlangs niet in een column geschreven dat vrijgezelle vrouwen veel te kritisch waren tijdens een eerste date? Nee, ik heb geschreven over een bóék waarin dit wordt beweerd. Zelf zou ik ook niet overal tegen kunnen. Ik zou het bijvoorbeeld niet op prijs stellen wanneer mijn tafelgenoot tussen zijn tanden zou gaan peuteren met het hoekje van de menukaart. Maar de verkeerde jas, tas of das? Daar valt overheen te kijken.

Maar wat vond ik dan van zo'n smerige auto, wilde mijn vriendin weten. Zij was namelijk acuut afgeknapt na het ritje in dat 'Golfje GFT'. Tja. In mijn studententijd heb ik een paar dates gehad met een jongen die biochemie studeerde. Omdat hij schimmels zo mooi vond en graag bederfpatronen analyseerde, lag er in zijn keukenkastje een bonte verzameling levensmiddelen te verrotten. Destijds vond ik deze hobby een beetje... apart. Maar nu denk ik: een man die de schoonheid van het verval kan waarderen, klinkt als de ideale huwelijkskandidaat. Maar geldt dit ook voor de collega in de rijdende composthoop? Ik vrees van niet. Aan de ene kant is het natuurlijk charmant wanneer een kerel zichzelf durft te zijn – rouwrandjes en al. Maar aan de andere kant biedt zo'n besmeurde passagiersstoel geen beste vooruitzichten voor de opgedroogde korsten die je wellicht tussen zijn lakens gaat aantreffen. Maar wat te denken van het tegenovergestelde? Hoe aantrekkelijk is een man in een zeer schone auto, compleet met zo'n misselijkmakend geurboompje aan de spiegel?

Wanneer iemand dwangmatig met chloordoekjes in de weer is, bekruipt mij altijd het gevoel dat hij iets te verbergen heeft. (Ja, ook ik kijk naar csi.) Maar mannen die met een tandenborstel hun velgen staan op te wrijven, zijn nog altijd minder erg dan gasten die met keiharde muziek rondrijden. Dat is pas écht sneu. Net als mannen die de hele weg vloeken, toeteren en hun middelvinger opsteken. Of als een *gangsta* achter het stuur zitten met hun arm uit het raam. Nu ik het allemaal zo op een rijtje zie, denk ik dat je wel degelijk iets kunt afleiden over iemands karakter aan de hand van zijn rijstijl of autointerieur. En dat is maar goed ook, want in het datingcircuit kun je wel een extra richtingaanwijzer gebruiken. Tussen mijn vriendin en haar knappe collega is het nooit wat geworden. Vrouwen vinden het heerlijk als er wat broeit – maar niet letterlijk. Verliefdheid en autorijden hebben wat dat betreft een merkwaardige overeenkomst: soms ben je het vliegje, en soms ben je de voorruit.

Om in te lijsten

In een krantenartikel op internet las ik dat het weer helemaal hip is om je te laten fotograferen met je blote zwangere buik. De eerste die dat deed, was natuurlijk de actrice Demi Moore. Haar 'naakte' *Vanity Fair*-cover bracht in 1991 wereldwijd een enorme schok teweeg, want een zwangere buik werd destijds niet bepaald gezien als iets wat geschikt was om te etaleren. Men vond het smakeloos, beschamend en vulgair. En precíes diezelfde woorden kwam ik ook nu weer tegen, in de tientallen reacties onder het artikel. Bijna twintig jaar na Demi's gedurfde pose vindt het gros van de mensen een zwangere buik nog steeds onsmakelijk – met name wanneer de foto's worden ingelijst en aan de muur worden gehangen. 'Ugh,' schreef een vrouw, 'dan kom je ergens op visite, en dan moet je verplicht naar die uitpuilende navel kijken, omringd door striae en blauwe aderen!' Ik vind dit een nogal wonderlijke reactie. Want wat is er natuurlijker dan een zwangere buik? In de sauna of op het strand zie je toch ook vrouwen die in verwachting zijn? En laten we de mannen met de bierbuiken niet vergeten; die doen soms niet onder voor een olifantendracht.

Maar er waren ook heel wat reageerders die niet eens zozeer aanstoot namen aan de uitpuilende navel, maar meer aan het gegeven dat mensen überhaupt een afbeelding van zichzelf aan de muur spijkeren: 'Je hangt toch geen foto's van jezelf op? Dat is zo verschrikkelijk ordinair,' was een veelvoorkomende reactie. Nou zeg. Weet je wat ík ordinair vind? Dat iemand zich meent te mogen bemoeien met wat andere mensen in hun eigen huis doen. Wat heb jij erover te zeggen dat de buurvrouw haar blauwe aderen boven de bank wil hangen? Misschien was ze wel heel erg trots op haar zwangere buik, en wilde ze graag een tastbare herinnering aan die bijzondere tijd. Ik werd een keer rondgeleid in het nieuwe huis van kennissen, toen er in de slaapkamer boven het echtelijke bed een zeer grote zwartwitfoto van de vrouw des huizes bleek te hangen. Topless. Die zag ik niet aankomen. Maar wie ben ik om daar een waardeoordeel over te hebben? Zíj vinden het mooi, en blijkbaar geneerden zij zich er totaal niet voor. Natuurlijk moet je enige discretie in acht nemen als je derden trakteert op privéfoto's; niet iedereen kan een reeks bloederige close-ups van jouw bevalling waarderen ('Kijk, je kunt het hoofdje al een beetje zien!').

Met een dikke stapel vakantiefoto's doe je zelfs je beste vrienden geen plezier. Er zit nu eenmaal een kritische grens aan de hoeveelheid zinloze informatie die een mens kan verdragen ('Wat leuk zeg – voor, naast, op, bij, tussen en achter de Chinese Muur. Heb je nog meer?'). Maar wat mij betreft is er helemaal niks mis met het ophangen van foto's van jezelf en je gezin. Sterker nog: uit een onderzoek is gebleken dat kinderen die opgroeien in een huis waar foto's van hen zijn ingelijst, beter in hun vel zitten. Wil je het zelfvertrouwen van je kinderen een duwtje in de rug geven? Maak dan een foto terwijl ze iets doen waar ze goed in zijn, en geef het resultaat een prominent plaatsje in huis. Ik heb in mijn gang een wisselende 'galerie' van mooie vakantiemomenten, gelukkige herinneringen en bijzondere gebeurtenissen. Zoiets vind ik helemaal niet 'verschrikkelijk ordinair', maar getuigen van een gezonde levenslust. Niet dat ik dit van huis uit heb meegekregen. Mijn ouders hingen niemand aan de muur – behalve de doden. Eerst werd het portret van opa Sjef naast de televisie gehangen, daarna volgde opa Max en toen oma Jeanne. Het etaleren van vrolijke familiefoto's stond haaks op de 'doe maar gewoon'-houding van mijn ouders.

Maar hoe gewoon ís het eigenlijk om geliefden pas te eren na de dood? En waarom verbergen sommige mensen bepaalde gebeurtenissen het liefst in een gesloten fotoboek dat ergens stof staat te happen? Er zijn er ook genoeg die het zó moeilijk vinden om naar zichzelf te kijken, dat ze verkrampt wegduiken zodra er ergens een foto wordt gemaakt. Ik zou willen zeggen: durf toch te lachen! En durf te herinneren. Want het leven is om in te lijsten.